LE DOUBLE ETHÉRIQUE

Titre original anglais : "The Etheric Double",
publié par The Theosophical Publishing House
Limited, 38, Great Osmond Street, London,
W.C.1, 1925.

Ouvrages de l'auteur, chez le même éditeur :

Le Corps Astral
Le Corps Mental
Le Corps Causal

LE DOUBLE ÉTHÉRIQUE

par le Major Arthur E. POWELL

Traduit de l'anglais
24 diagrammes.

EDITIONS ADYAR

4, Square Rapp - 75007 PARIS

1990

Les opinions exprimées dans ce livre·sont celles
de l'auteur et ne doivent pas nécessairement
être prises pour celles de la Société Théosophique.

1ère édition   1927
2e impression   1982
3e impression   1987
4e impression   1989
5e impression   1990

ISBN 2-85000-128-7

OUVRAGES CITÉS

La Sagesse antique, Annie Besant (1897).
Le Plan astral, C. W. Leadbeater (1910).
De la clairvoyance, C. W. Leadbeater (1908).
La Mort et l'Au-delà, A. Besant (1901).
Les Rêves, C. W. Leadbeater (1903).
Experiments in Psychical Sciences, W. J. Crawford (1919).
Evolution occulte de l'humanité, C. Jinarajadasa (1921).'
Five years of Theosophy, H. P. Blavatsky (1910).
L'Occultisme dans la Nature (I), C. W. Leadbeater (1910).
L'Occultisme dans la Nature (II), C. W. Leadbeater (1911).
Human atmosphere, W. J. Kilner (1911).
Hidden side of things (I), C. W. Leadbeater (1913).
Hidden side of things (II), C. W. Leadbeater (1913).
L'Introduction à la Yoga, A. Besant (1908).
Les Aides invisibles, C. W. Leadbeater (1908).
Ladder of Lives, Annie Besant (1908).
La Vie après la mort, C. W. Leadbeater (1912).
L'Homme et ses corps, A. Besant (1900).
L'Homme visible et invisible, C. W. Leadbeater (1902).
L'Homme, d'où il vient, où il va, A. Besant et C. W. Leadbeater (1913).
La Monade, C. W. Leadbeater (1920).
Les Forces subtiles de la Nature, Rama Prasad (1897).
Nature's mysteries, A. P. Sinnett (1901).
L'autre côté de la Mort, C. W. Leadbeater (1904).
Phénomènes de matérialisation, D^r von Schrenk-Notzing (1920).
Psychic structures, W. J. Crawford (1921).
Rationale of Mesmerism, A. P. Sinnett (1902).
Reality of Psychic Phenomena, W. J. Crawford (1919).
La Science des Sacrements, C. W. Leadbeater (1920).
La Doctrine secrète, H. P. Blavatsky (1905).
Le Soi et ses enveloppes, A. Besant (1903).
Seven principles of man, A. Besant (1904).
Echappées sur l'Occultisme, C. W. Leadbeater (1909).
Etude sur la Conscience, A. Besant (1904).
Précis de Théosophie, C. W. Leadbeater (1912).
Theosophy, A. Besant (1909).
Theosophy and New Psychology, A. Besant (1909).
Le Pouvoir de la Pensée, A. Besant (1903).
Changing world (1909).

PREFACE de l'EDITEUR

Le but de l'auteur en compilant les livres de cette série était d'économiser le temps et le travail des étudiants en fournissant une synthèse condensée de la littérature considérable, traitant des sujets respectifs de chaque volume, provenant principalement des écrits d'Annie Besant et de C.W. Leadbeater.

Chaque fois que cela a été possible, la méthode adoptée consistait à expliquer d'abord le côté de la forme, avant celui de la vie : décrire le mécanisme objectif des phénomènes et ensuite les activités de la conscience qui sont exprimées à travers le mécanisme. Il n'a pas été tenté de prouver, ou même de justifier, une quelconque des déclations faites.

Les ouvrages de H.P. Blavatsky ne furent pas utilisés parce que l'auteur a dit que la recherche nécessaire dans La Doctrine Secrète et dans d'autres écrits, aurait été pour lui un trop grand travail à entreprendre. Il a ajouté : "La dette envers H.P. Blavatsky est plus grande que ce qui pourrait jamais être indiqué par des citations de ses volumes monumentaux. N'aurait-elle pas montré le chemin en premier lieu, que des chercheurs ultérieurs auraient pu ne jamais trouver la piste".

TABLE DES MATIÈRES

LISTE DES DIAGRAMMES

INTRODUCTION

L'objet de cette compilation est de présenter à l'étudiant en occultisme une synthèse cohérente de toutes ou presque toutes les connaissances relatives au double éthérique et à d'autres phénomènes connexes, transmises à l'humanité par la littérature moderne théosophique ou par les publications de la Société des Recherches Psychiques.

Ces connaissances sont dispersées dans un très grand nombre de livres et d'articles, dont une quarantaine ont été consultés par le compilateur; une liste en est donnée à la page ci-contre. L'écrivain fait observer que son travail est une compilation et rien de plus; il s'est borné à réunir et à disposer les matières fournies par autrui.

Cette méthode de travail présente beaucoup d'avantages. A notre époque si active, peu de personnes ont le loisir, même si elles le voulaient, d'explorer des quantités d'ouvrages pour y recueillir les renseignements épars et pour les souder ensuite en un tout cohérent. Il est donc préférable qu'une seule personne entreprenne cette tâche; les autres en profiteront, économisant ainsi leur temps et leurs efforts. L'œuvre du compilateur met en lumière maint rapport nouveau unissant des fragments empruntés à des sources diverses et sous sa main la mosaïque forme graduellement un motif; son travail, nécessairement intensif, remet en mémoire bien des faits isolés, ne présentant guère individuellement de valeur ou d'intérêt mais qui, rapprochés, forment un ensemble substantiel et utile. Enfin, le tableau présenté par le compilateur, tout en exposant avec méthode nos connaissances actuelles, révèle par cette méthode même, les points où elles présentent des lacunes; celles-ci ayant été constatées, d'autres investigateurs pourront y porter leur attention et rendre ainsi le tableau moins incomplet.

Le compilateur a mis tous ses soins à présenter avec une scrupuleuse exactitude les matériaux rassemblés. Dans de très nombreux cas, il a fait usage des termes mêmes employés par les auteurs consultés, adaptés ou abrégés quand il le fallait, eu égard au contexte, mais, pour éviter d'alourdir et d'enlaidir le texte par de nombreux guillemets, ceux-ci ont toujours été omis.

Les diagrammes et tableaux dans le texte, sont originaux; ils ont un caractère purement schématique; jamais ils ne représentent les phénomènes qu'ils essaient d'illustrer.

CHAPITRE PREMIER

Description générale

Tout étudiant en occultisme sait que l'homme possède plusieurs corps ou véhicules qui lui permettent de s'exprimer sur les différents plans de la nature — plans physique, astral, mental et ainsi de suite.

L'occultiste constate que la matière physique présente sept degrés ou ordres de densité appelés :

Atomique.
Sous-atomique.
Super-éthérique.
Éthérique.
Gazeux.
Liquide.
Solide.

Tous ces degrés de densité sont représentés dans la composition du véhicule physique. Ce dernier pourtant comporte deux divisions bien nettes, c'est-à-dire, d'une part le corps dense, composé de solides, de liquides et de gaz; d'autre part le corps éthérique ou double comme il est souvent nommé, constitué par les quatre ordres les plus ténus de matière physique.

Nous nous proposons d'étudier dans les chapitres suivants ce double éthérique, sa nature, son apparence, ses fonctions, ses rapports avec les autres véhicules, sa relation avec le Prâna ou Vitalité, sa naissance, son développement et son déclin; son rôle dans certaines méthodes curatives, dans le magnétisme, la médiumnité et les matérialisations; les facultés qu'il peut acquérir; enfin, les divers et très nombreux phénomènes éthériques qui se rattachent à lui.

En résumé, nous verrons que le double éthérique, tout en étant nécessaire à la vie du corps physique, n'est pas à proprement parler un véhicule de conscience indépendant; que, recevant et distribuant la force vitale issue du soleil, il est intimement lié à la santé physique; qu'il possède en propre certains chakras ou centres de force, dont chacun remplit une fonction particulière; que le souvenir de l'existence vécue en rêve dépend principalement de la matière éthérique; qu'il joue un rôle important dans la constitution du véhicule astral destiné à l'ego en voie de réincarnation; que, semblable au corps physique, il meurt, puis se décompose, permettant ainsi à l' « âme » de passer à un autre stage de son voyage cyclique; qu'il est particulièrement associé aux traitements par le vitalisme ou magnétisme, comme aussi au mesmérisme, déterminant la guérison, l'anesthésie ou la transe; qu'il est le facteur principal dans les phénomènes des salles de séances, comme objets remués, coups « frappés » et autres sons, matérialisations de tout genre; que le développement des facultés éthériques confère des pouvoirs nouveaux et révèle beaucoup de phénomènes éthériques dont peu de personnes ont fait l'expérience; qu'au moyen de la matière du corps éthérique il est possible de « magnétiser » les objets comme sont magnétisés les êtres vivants; enfin, que le corps éthérique fournit les éléments de la substance connue sous le nom d'ectoplasme.

Le double éthérique a reçu les noms les plus divers. Dans les premiers ouvrages théosophiques il est souvent nommé le corps astral, l'homme astral ou le Linga Sharira. Dans les écrits plus récents, jamais aucun de ces termes n'est donné au double éthérique, car ils appartiennent en réalité au corps formé de matière astrale, au corps de Kâma des Hindous. En lisant *La Doctrine Secrète* et d'autres livres anciens, l'étudiant doit donc bien se garder de confondre les deux corps tout à fait distincts, appelés aujourd'hui le double éthérique et le Corps Astral.

Le vrai terme hindou traduisant « Double Ethérique » est Prânamâyakosha, ou vé cule de Prâna; en allemand, c'est le « Doppelgänger »; après la mort, séparé du corps physique dense, c'est le « revenant », le « fantôme », l' « apparition » ou « spectre des cimetières ». En Raja Yoga, le double éthérique et le corps dense unis sont nommés le Sthûlopâdhi, c'est-à-dire l'Upâdhi inférieur d'Atma.

Toute parcelle solide, liquide ou gazeuse du corps physique est entourée d'une enveloppe éthérique; par suite le double éthérique, comme l'indique son nom, est la reproduction exacte de la forme dense. Elle dépasse l'épiderme d'environ un quart de pouce. Cependant l'aura éthérique, ou aura de Santé comme on l'appelle souvent, dépasse normalement l'épiderme de plusieurs pouces. La description en sera donnée plus tard.

Fait important à noter : le corps dense ét le double éthérique varient simultanément en qualité; par conséquent, une personne qui s'applique à purifier son corps dense, en affine du même coup automatiquement la contre-partie éthérique.

Toutes les catégories de matière éthérique doivent entrer dans la composition du double éthérique, mais les proportions peuvent grandement varier; elles dépendent de plusieurs facteurs, tels que la race, la sous-race et le type de la personne, et aussi de son Karma individuel.

Voici les seuls renseignements obtenus jusqu'ici par le compilateur, concernant les propriétés et fonctions particulières des quatre grades de matière éthérique.

1. Ethérique : emprunté par le courant électrique ordinaire et par le son.

2. Super-éthérique : emprunté par la lumière.

3. Sous-atomique : emprunté par « les formes plus subtiles de l'électricité ».

4. Atomique : emprunté par la pensée dans son passage d'un cerveau à un autre.

Le tableau suivant, donné dans le *Theosophist* de mai 1922, par F. T. Peirce, est probablement exact :

Chimie occulte.	*Physique.*	*Exemple.*
E₁ Atomique.	Electronique.	Electron.
E₂ Sous-atomique.	Noyau positif.	Parcelle Alpha.
E₃ Super-éthérique.	Noyau neutralisé.	Neutron.
E₄ Ethérique.	Atomique.	N. Naissant. Atomique H.
Gazeux.	Gaz moléculaire, etc.	H_2, N_2 ou composés gazeux.

Le double éthérique est d'un violet-gris (ou bleu-gris) pâle, faiblement lumineux, grossier ou fin suivant que le corps physique dense est grossier ou fin.

Le double éthérique a deux fonctions principales : d'abord il absorbe le Prâna ou Vitalité et l'envoie dans toutes les régions du corps physique, comme nous le verrons tout à l'heure en détail.

Deuxièmement, il sert d'intermédiaire ou de pont entre le corps physique dense et le corps astral; il transmet au corps astral la conscience des contacts sensoriels physiques; il fait descendre aussi dans le cerveau physique et dans le système nerveux la conscience des niveaux astrals et supérieurs à l'astral.

De plus, le double éthérique développe en soi-même certains centres au moyen desquels l'homme peut prendre connaissance du monde éthérique et des innombrables phénomènes éthériques. Ces pouvoirs ou facultés seront également décrits.

Il est important de constater que le double éthérique, étant simplement une partie du corps physique, n'est pas normalement capable de servir de véhicule de conscience indépendant, dans lequel l'homme puisse vivre ou fonctionner; il ne possède qu'une conscience diffuse appartenant à toutes ses parties; il n'a pas d'intelligence et, quand il est séparé de sa contre-partie dense, ne peut guère servir d'intermédiaire à la mentalité. Comme il est le véhicule, non de la conscience mentale mais du Prâna ou Vitalité, il ne peut, sans que la santé en souffre, se séparer des parcelles auxquelles ils transmet les courants vitaux. D'ailleurs chez les personnes normales et bien portantes, la séparation du double éthérique et du corps dense est difficile et le double est incapable de s'éloigner du corps auquel il appartient.

Chez les personnes appelées médiums physiques ou matérialisateurs le double se détache assez facilement; sa matière éthérique forme alors la base de nombreux phénomènes de matérialisation dont nous parlerons plus longuement dans un autre chapitre.

Le double peut être séparé du corps physique dense par un accident, par la mort, par des anesthésiants comme l'éther ou le gaz, enfin par le mesmérisme. Le double formant le trait d'union entre le cerveau et la conscience supérieure, l'insensibilité est la conséquence forcée de son expulsion du corps physique dense provoquée par les anesthésiants.

En outre, la matière éthérique ainsi expulsée enrobe le corps astral et amortit également la conscience dans ce véhicule; aussi, quand l'anesthésiant a cessé d'agir, ne subsiste-t-il, en général, dans la conscience cérébrale aucun souvenir du temps passé dans le véhicule astral.

La méthode et les conséquences de l'expulsion de la matière éthérique au moyen du mesmérisme seront exposées avec plus de détails dans un chapitre spécial.

Un état de santé précaire ou l'excitation nerveuse, peuvent aussi déterminer la séparation presque complète du double éthérique et de sa contre-partie dense; celle-ci n'est plus alors que très faiblement consciente (transe) suivant la quantité plus ou moins grande de matière éthérique expulsée.

La séparation du double et du corps dense entraîne généralement pour ce dernier une grande diminution de vitalité. Le double gagne en vitalité tout ce que perd en énergie le corps dense. Dans *Posthumous Humanity* (1), le colonel Olcott dit :

(1) *L'Humanité posthume* (N. du T.).

« Quand le double est projeté par un expert, le corps
lui-même semble inerte; le mental est « absorbé »; les
yeux n'ont plus d'expression; l'action du cœur et des
poumons est faible et souvent la température baisse
beaucoup. Il est très dangereux en pareil cas de faire
un bruit soudain ou d'entrer brusquement dans la chambre, car si le double, par une réaction instantanée, est
ramené dans le corps, le cœur palpite convulsivement
et la mort est possible. »

La liaison entre les corps dense et éthérique est si
étroite qu'une lésion du double éthérique se traduit par
une lésion du corps dense — exemple du curieux phénomène connu sous le nom de répercussion. On sait que
la répercussion est également possible en ce qui concerne
le corps astral; une lésion subie par ce dernier se reproduit, dans certaines conditions, dans le corps physique.

Pourtant il semble probable que le seul cas où la répercussion soit possible est celui d'une matérialisation parfaite, où la forme est à la fois visible et tangible. Point
de répercussion si la forme est tangible sans être visible,
ou bien visible sans être tangible.

Noter que ce qui précède s'applique uniquement au
cas où de la matière appartenant au double éthérique
est prélevée pour constituer la forme matérialisée.
Quand la matérialisation est obtenue au moyen de matière empruntée à l'éther ambiant, une lésion de la forme
ne peut pas plus affecter le corps physique par répercussion, qu'une statue de marbre ne peut léser l'homme
lui-même.

Se rappeler que la matière éthérique bien qu'invisible
pour la vue ordinaire est cependant purement physique
et qu'ainsi elle peut se trouver affectée par le froid et la
chaleur, comme par de puissants acides.

Les amputés se plaignent quelquefois d'éprouver une
douleur aux extrémités du membre coupé, c'est-à-dire
à l'endroit que le membre occupait.

La raison en est que la partie éthérique du membre

n'a pas été enlevée avec la partie dense physique; le clairvoyant constate qu'elle reste visible et toujours en place; c'est pourquoi une stimulation appropriée peut éveiller, dans ce membre éthérique, des sensations qui sont transmises à la conscience.

Bien d'autres phénomènes se rattachent au double éthérique, telles que sa sortie du corps dense, ses émanations, etc.; nous pourrons nous en occuper d'une manière plus commode et plus satisfaisante un peu plus tard, après avoir étudié la nature et les modes d'activité du Prâna (Vitalité).

CHAPITRE II

Prâna ou la Vitalité

[Voyez les diagrammes I, II, (1), (2), (3), (4).]

Comme le savent les occultistes, il existe au moins trois forces indépendantes et distinctes qui émanent du soleil et atteignent notre planète. D'autres forces peuvent exister en nombre infini — rien ne s'y oppose en l'état actuel de nos connaissances — mais nous sommes sûrs de ces trois-là. Ce sont :

1. Fohat ou l'électricité.
2. Prâna ou la vitalité.
3. Koundalini ou le feu-serpent.

Fohat ou l'Electricité comprend en somme toutes les énergies physiques connues; toutes sont convertissables entre elles, comme l'électricité, le magnétisme, la lumière, la chaleur, le son, l'affinité chimique, le mouvement et ainsi de suite.

Prâna ou la vitalité est une force vitale dont l'existence n'est pas encore officiellement reconnue par les savants orthodoxes de l'Occident, bien que certains doivent s'en douter.

Koundalini, ou le feu-serpent, n'est connu que de très peu de personnes; la science orthodoxe occidentale l'ignore absolument.

Ces trois forces restent distinctes et aucune d'elles ne peut à ce niveau se transformer en une autre. Ce point est fort important et l'étudiant doit bien s'en pénétrer.

De plus, ces trois forces n'ont rien de commun avec les Trois Grandes Effusions; celles-ci représentent des efforts spéciaux faits par la Divinité Solaire; d'autre part, Fohat, Prâna et Koundalini semblent plutôt résulter de Sa vie et représenter Ses qualités manifestées sans effort visible.

DIAGRAMME I

Forces solaires.

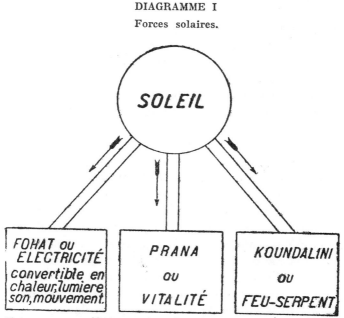

Chacune se manifeste sur tous les plans du système solaire.

Prâna est un mot sanscrit, dérivé de *pra*, au dehors, et d'*an*, respirer, se mouvoir, vivre. Ainsi *pra-an*, Prâna, signifie le souffle ou l'énergie vitale — équivalents les plus rapprochés du terme sanscrit. Comme pour les penseurs hindous il n'y a qu'une seule Vie, une seule Conscience, on a désigné par Prâna le Soi Suprême, l'énergie de l'Unique, la Vie du Logos. Par suite, la vie sur chaque plan peut se nommer le Prâna de ce plan, Prâna devenant en chaque être le souffle vital.

« Je suis Prâna... Prâna est la vie », dit Indra, le grand Déva, Chef de la hiérarchie vitale dans le monde inférieur. Prâna signifie évidemment ici la totalité des forces vitales. Dans le Moundakopanishat il est dit que de Brahman, l'Unique, procède Prâna ou la Vie. Prâna est aussi défini comme Atma dans son activité centrifuge : « D'Atma est né Prâna » (Prashnopanishat). Prâna, nous dit Shankara, est Kriyâshakti — la shakti de l'action et non point celle du savoir. Prâna est rangé au nombre des sept Eléments qui eux-mêmes correspondent aux sept régions de l'univers, aux sept enveloppes de Brahman, etc.; c'est-à-dire : Prâna, Manas, l'Ether, le Feu, l'Air, l'Eau et la Terre.

Les Hébreux mentionnent le « Souffle de vie » (Nephesh) insufflé dans les narines d'Adam. Cependant, à proprement parler, Nephesh n'est pas Prâna seul mais Prâna combiné avec le principe suivant : Kâma. Leur réunion forme « l'étincelle vitale » qui est « le souffle de vie dans l'homme, dans les animaux ou insectes, le souffle de l'existence physique et matérielle ».

Traduits en termes plus occidentaux, Prâna, sur le plan physique, est la vitalité, l'énergie constructrice qui coordonne les molécules physiques et les réunit en un organisme défini; c'est le « Souffle de Vie » dans l'organisme ou, plutôt, cette portion du Souffle de Vie universel qu'un organisme humain s'approprie pendant la brève période de temps à laquelle nous donnons le nom de « Vie ».

Sans la présence de Prâna, point de corps physique formant un tout complet, agissant comme une seule entité; sans Prâna, le corps serait tout au plus un assemblage de cellules indépendantes. Prâna les réunit et les associe en un tout, unique et complexe, en parcourant les branches et les mailles du « réseau vital », ce réseau chatoyant et doré d'une finesse inconcevable, d'une beauté délicate, constitué par un seul fil de matière bouddhique, par un prolongement du Soutratma, et dans les mailles duquel viennent se juxtaposer les atomes plus grossiers.

Prâna est absorbé par tous les organismes vivants; une quantité suffisante de Prâna semble nécessaire à leur existence; il n'est donc en aucune manière un produit de la vie; au contraire, l'animal vivant, la plante, etc., sont ses produits. Se trouve-t-il en excès dans le système nerveux, la maladie et la mort peuvent en résulter; est-il trop rare, l'épuisement et finalement la mort en sont la conséquence.

H. P. Blavatsky compare Prâna, énergie active produisant tous les phénomènes *vitaux*, à l'oxygène qui maintient la combustion, ce gaz qui donne la vie, agent actif *chimique* en toute vie organique. Elle compare aussi le double éthérique, véhicule inerte de la vie, à l'azote, gaz inerte auquel se mélange l'oxygène pour l'adapter à la respiration des animaux et qui entre pour une grande part dans la composition de toutes les substances organiques.

Le fait que le chat est doué d'une quantité extraordinaire de prâna, a fait naître l'idée populaire que le chat possède « neuf vies »; le même fait semble avoir indirectement valu à cet animal, en Egypte, un caractère sacré.

Sur le plan physique, ce prâna, cette force vitale construit tous les minéraux; c'est l'agent contrôleur de toutes les transformations chimico-physiologiques dans le protoplasme; c'est lui qui provoque la différenciation et la formation des divers tissus des corps des plantes, des animaux et des hommes. Ces tissus dévoilent sa présence par leur pouvoir de répondre à des excitations extérieures.

L'association du prâna astral et du prâna physique crée la matière nerveuse qui est, au fond, la cellule et donne la faculté d'éprouver le plaisir et la souffrance. Les cellules se développent en fibres, résultat de la pensée. Le prâna dont les pulsations empruntent ces fibres est composé de prâna physique, astral et mental.

Dans les atomes du plan physique, le prâna suit les spirilles. Durant la première Ronde de notre chaîne terrestre, le premier groupe de spirilles des atomes physiques entre ainsi en activité sous l'influence de la Vie monadique qui se déverse par la Triade spirituelle. C'est par ce groupe de spirilles que se déversent les courants prâniques — souffles de vie — qui agissent sur la partie dense du corps physique. Dans la deuxième Ronde, le deuxième groupe de spirilles entre en activité et devient le champ d'action des courants prâniques agissant sur le double éthérique. Pendant ces deux Rondes il n'y a encore rien — quant aux formes — qu'on puisse appeler sensations de plaisir ou de douleur. Dans la troisième Ronde le troisième groupe de spirilles entre en activité et c'est à ce moment seulement qu'apparaît ce que nous nommons sensation; c'est par l'intermédiaire de ces spirilles que l'énergie kâmique ou énergie des désirs peut affecter le corps physique, et que le prâna kâmique peut circuler et mettre ainsi le corps physique en communication directe avec l'astral. Pendant la quatrième Ronde, le quatrième groupe de spirilles s'éveille et le prâna kâma-manasique y circule librement, préparant les spirilles à l'usage qui en sera fait dans la construction du cerveau, qui plus tard deviendra l'instrument de la pensée.

Voilà où en est arrivée l'humanité normale.

Certaines pratiques de Yoga (dont l'emploi demande beaucoup de prudence, car elles pourraient occasionner des lésions dans le cerveau) amènent le développement des cinquième et sixième groupes de spirilles qui servent de canaux à des formes plus élevées de conscience.

Il ne faut pas confondre les sept spirilles de l'atome avec les « verticilles » qui sont au nombre de dix, dont trois grossiers et sept plus fins. Dans les trois premiers circulent des courants d'électricités diverses, tandis que les sept suivants répondent à des ondes éthériques de tout genre — son, lumière, chaleur, etc.

La Doctrine Secrète parle de Prâna comme des vies « invisibles » et « ignées » qui fournissent aux microbes « l'énergie vitale constructrice », et leur permettent ainsi de bâtir les cellules physiques comme dimensions, la plus petite bactérie est à une « vie ignée » ce qu'est un éléphant à l'infusoire le plus microscopique. « Tout objet visible dans cet univers a été construit par ces vies, depuis l'homme primordial, conscient et divin, jusqu'aux agents inconscients qui construisent la matière. » « Par la manifestation de Prâna, l'esprit privé de parole devient celui qui parle. »

Ainsi, toute la vitalité constructrice, dans l'univers et dans l'homme, se résume en Prâna.

Un atome est aussi une « Vie » : sa conscience est la conscience du Troisième Logos. Un microbe est une « Vie » et sa conscience est la conscience du Deuxième Logos, appropriée et modifiée par le Logos planétaire et « l'esprit de la terre ».

La Doctrine Secrète parle aussi d'un « dogme fondamental » de science occulte : « Le Soleil, dit-elle, est le réservoir de la Force Vitale; du soleil émanent les courants vitaux qui vibrent à travers l'espace, comme à travers les organismes de tout être vivant en ce monde ».

Voici comment s'exprimait Paracelse au sujet de Prâna : « Tout le microcosme est potentiellement contenu dans la Liquor Vitae, un fluide nerveux... dans lequel se trouvent la nature, la qualité, le caractère et l'essence de tous les êtres. » Paracelse lui donnait encore le nom d'Archée. Le Dr. B. Richardson, F. R. S., l'appelait « l'éther nerveux ». Les feuilles de saule de Nasmyth sont les réservoirs de l'énergie vitale solaire. Le véritable soleil est caché derrière le soleil visible et génère le fluide vital qui circule à travers tout notre système au cours d'un cycle de dix années.

L'Aryen des anciens temps chantait Sourya « cachant derrière ses robes de Yogui sa tête que nul ne pouvait apercevoir ».

Le vêtement des ascètes indiens, teint d'un jaune rougeâtre avec des parties rosées, est supposé représenter le prâna dans le sang de l'homme; c'est le symbole du principe vital contenu dans le soleil ou ce que l'on appelle aujourd'hui la chromosphère ou région « couleur de rose ».

Les centres nerveux eux-mêmes sont naturellement alimentés par le « véhicule de la nourriture » ou corps dense, mais Prâna est l'énergie souveraine qui rend obéissant ce véhicule et le façonne, comme l'exige le Moi dont le siège est l'intelligence supérieure.

Il est important de noter que malgré la présence des nerfs dans le corps physique, ce n'est pas le corps physique, comme tel, qui possède la faculté de sentir. Comme véhicule le corps physique ne sent pas; c'est un simple récepteur d'impressions. Le corps extérieur reçoit l'impact mais ce n'est pas dans ses cellules que réside la faculté de sentir le plaisir ou la souffrance, sauf d'une façon très vague, amortie et « massive » éveillant des sensations vagues et diffuses, comme celle, par exemple, d'une fatigue générale.

Les contacts physiques sont transmis vers l'intérieur par le prâna; ceux-là sont aigus, perçants, mordants, spécifiques, tout autres que les sensations pesantes et diffuses dérivant des cellules mêmes. C'est donc invariablement le prâna qui donne aux organes physiques l'activité sensorielle et qui transmet les vibrations du dehors aux centres des sens situés dans le Kâma, dans la gaine, voisine immédiate de celle du prâna, le Manomayakosha. C'est grâce au Double Ethérique que le prâna suit les nerfs du corps et leur permet ainsi d'agir comme transmetteurs, non seulement des impacts extérieurs, mais aussi de l'énergie motrice venant de l'intérieur.

C'est la circulation des courants vitaux prâniques dans les Doubles Ethériques des minéraux, des végétaux et des animaux qui fait sortir de son état latent la matière astrale participant à la structure de leurs éléments atomiques et moléculaires, et produit ainsi un « frémissement »; celui-ci permet à la Monade de la forme de s'approprier des matériaux astrals; enfin, de ces derniers, les esprits de la nature constituent une masse peu organisée, le futur corps astral.

Dans le minéral, la matière astrale associée à l'atome astral permanent est si peu active, et la conscience y est si profondément endormie, qu'il n'y a pas d'activité perceptible entre l'astral et le physique. Dans les végétaux supérieurs, il semble y avoir un vague pressentiment de système nerveux, mais ce système est trop peu développé pour servir à autre chose qu'à des usages tout à fait rudimentaires. Γ ins les animaux la conscience astrale, beaucoup plus développée, affecte les doubles éthériques et, par ces vibrations éthériques, la construction du système nerveux, vaguement esquissé chez les plantes, se trouve stimulé.

Ainsi, les impulsions engendrées par la conscience — qui *veut* passer par des expériences — donnent naissance à des vibrations astrales, celles-ci produisant à leur tour des vibrations dans la matière éthérique; c'est de la conscience que vient l'impulsion, mais la construction du système nerveux, que la conscience est encore incapable d'entreprendre, est commencée par des esprits de la nature éthériques sous la direction des Etres lumineux du troisième règne élémental et celle du Logos travaillant à travers l'Ame-groupe.

En premier lieu apparaît dans le corps astral un centre qui a pour fonction de recevoir et de répondre aux vibrations extérieures. De ce centre astral, les vibrations passent au double éthérique où elles donnent naissance à des tourbillons éthériques qui attirent vers eux des parcelles de matière physique plus dense, et finissent par former une cellule nerveuse et enfin des groupes de cellules. Ces centres physiques, recevant des vibrations du monde extérieur, renvoient les impulsions aux centres astrals, augmentant ainsi leurs vibrations. Les centres physiques et astrals agissent et réagissent donc les uns sur les autres; chacun d'eux devient ainsi plus compliqué et son champ d'utilité s'étend. C'est de ces cellules nerveuses qu'est construit le système sympathique, par les impulsions, comme nous l'avons vu, émanant du monde *astral;* plus tard le système cérébro-spinal est formé par des impulsions venant du monde *mental.*

Le système sympathique reste toujours relié directement avec les centres astrals, mais il est important de remarquer que ces *centres astrals* n'ont rien de commun avec les *chakras astrals,* ou roues, dont nous parlons plus loin, mais sont simplement des agrégations contenues dans l'enveloppe astrale et qui forment les commencements des centres destinés à construire les organes dans le corps physique. Les chakras astrals ne sont formés que beaucoup plus tard.

De ces centres (qui ne sont *pas* des chakras) dix organes physiques sont formés : cinq ont pour fonction de recevoir des impulsions du monde extérieur — en sanscrit Jnânendriyas, mot à mot les *sens de la connaissance* — c'est-à-dire les centres des sens dans le cerveau : c'est ainsi que sont formés les yeux, les oreilles, la langue, le nez, la peau; et cinq autres sens astrals qui ont pour fonction de transmettre les vibrations de la conscience au monde extérieur, les Karmendriyas, ou *sens de l'action,* centres sensoriels qui engendrent l'action, centres moteurs dans le cerveau physique, façonnant de différentes manières les organes moteurs appropriés : mains, pieds, larynx, organes de la génération et de l'excrétion.

L'étudiant doit noter avec soin que le *prâna* qui suit les nerfs est tout à fait indépendant et distinct de ce que l'on appelle le *magnétisme* de l'homme ou *fluide-nerveux,* car celui-ci prend naissance dans son propre corps. Ce *fluide nerveux* ou magnétisme maintient la circulation de la matière éthérique par la voie des nerfs ou, plus exactement, par celle de la couche d'éther qui entoure chaque nerf; cette circulation ressemble beaucoup à celle du sang dans les veines. De même aussi que le sang apporte au corps l'oxygène, le fluide nerveux charrie le prâna.

De plus, si les particules du corps dense physique changent constamment et sont remplacées par d'autres fournies par les aliments, l'eau et l'air, de même les particules du corps éthérique changent constamment et sont remplacées par des particules nouvelles introduites dans le corps avec les aliments ingérés et l'air respiré, enfin avec le prâna, sous la forme appelée globule de la vitalité, comme nous l'expliquerons tout à l'heure.

Prâna, ou la vitalité, existe sur tous les plans — physique, astral, mental, etc. Prâna, la Vie Unique, est « le moyeu dans lequel sont fixés les *sept* rais de la roue universelle » (*Hymne à Prâna, Atharva Véda*, XI, 4). Mais nous ne nous occupons ici que de son apparence et de ses modes d'action dans le plan inférieur ou physique.

Noter aussi que sur le plan physique prâna est septuple, c'est-à-dire qu'il en existe sept variétés.

Nous avons déjà vu que le prâna est absolument indépendant et distinct de la lumière, de la chaleur, etc., néanmoins sa manifestation sur le plan physique semble dépendre de la lumière solaire : en effet, quand celle-ci abonde, le prâna abonde aussi, quand elle est absente, le prâna fait également défaut.

DIAGRAMME II

Le globule de Vitalité.

(1) Un atome physique ultime.

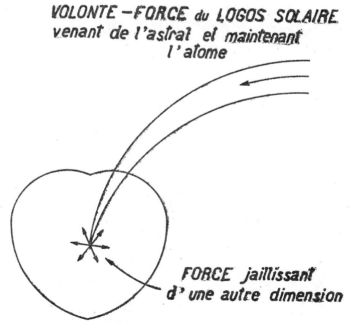

VOLONTE – FORCE du LOGOS SOLAIRE venant de l'astral et maintenant l'atome

FORCE jaillissant d'une autre dimension

Pour le détail de l'atome, voir *la Chimie occulte*, pl. II.

Le Prâna émane du soleil et pénètre dans quelques-uns des atomes physiques ultimes qui flottent, innombrables, dans l'atmosphère terrestre. Cette force prânique, avons-nous dit, « pénètre » l'atome physique, mais elle ne le fait pas du dehors; elle vient d'une dimension supérieure, la quatrième; pour le clairvoyant elle semble donc jaillir au sein de l'atome.

Ainsi deux forces pénètrent dans l'atome par l'intérieur : (1) la force de Volonté du Logos qui maintient l'atome dans la forme convenable; (2) la force prânique. Il est important de noter que le Prâna est issu du Deuxième Aspect de la Divinité Solaire, tandis que la force de Volonté émane du Troisième Aspect.

L'effet du Prâna sur les atomes diffère entièrement de ceux de l'électricité, de la lumière, de la chaleur ou

DIAGRAMME II

Le globule de Vitalité.

(2) La Force vitale entre dans l'atome.

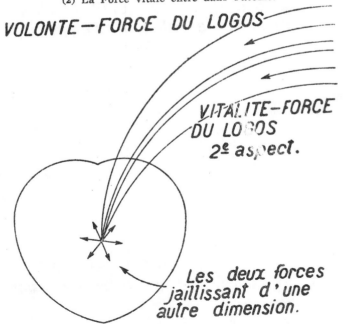

VOLONTE—FORCE DU LOGOS

VITALITE—FORCE DU LOGOS 2ᵉ aspect.

Les deux forces jaillissant d'une autre dimension.

autres expressions de Fohat. L'électricité en faisant irruption dans les atomes, les fait dévier et les tient d'une certaine façon; elle leur impose également une certaine vitesse vibratoire. Toute variété de Fohat, comme l'électricité, la lumière ou la chaleur, détermine une oscillation de l'atome tout entier, oscillation dont l'amplitude est énorme en comparaison de la taille de l'atome lui-même; c'est du dehors, bien entendu, que ces forces agissent sur l'atome.

Les étudiants en occultisme connaissent la forme et la structure de l'atome physique ultime, la plus petite des particules matérielles constituant le plan physique, dont les combinaisons déterminent ces autres combinaisons diverses que nous appelons solides, liquides, gaz, etc. Les figures données dans le présent ouvrage ne représentent ces atomes physiques ultimes que par un simple trait.

DIAGRAMME II

Le globule de Vitalité.

(3) L'atome attire 6 autres atomes.

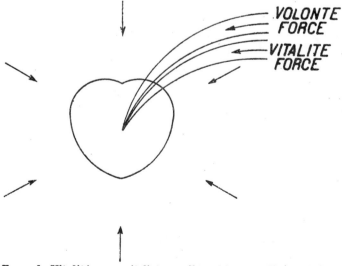

La Force de Vitalité pourvoit l'atome d'une vie nouvelle qui lui donne une force d'attraction.

L'énergie prânique, émanée du soleil, pénètre donc certains atomes de notre atmosphère et les rend lumineux.
Un atome semblable, doué de cette vie additionnelle,
possède une sextuple puissance d'attraction et s'agrège
immédiatement six autres atomes; il les dispose suivant
une forme particulière, ce qui donne lieu, suivant l'expression de la *Chimie Occulte,* à un hyper-méta-proto
élément, ou combinaison de matière sur le sous-plan
sous-atomique. Pourtant cette combinaison diffère de
toutes celles observées jusqu'ici en ce que la force qui
la crée et la maintient vient du Deuxième Aspect de la
Divinité Solaire et non du Troisième. Cette forme a été
nommée le Globule de la Vitalité; elle est représentée

DIAGRAMME II

Le globule de Vitalité.

(4) Formation du globule.

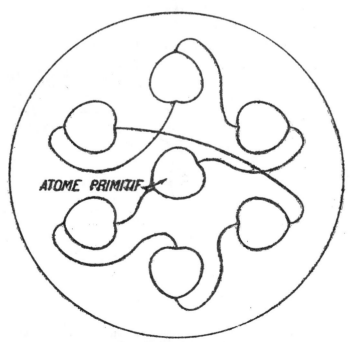

N. B. — Le globule de vitalité est un hyper-meta-proto élément.

dans la figure ci-contre, agrandissement de la figure donnée dans *La Chimie Occulte*, page 182 (1). Ce petit groupe forme le point excessivement brillant dont est marqué le serpent mâle ou positif dans l'élément chimique oxygène; il forme aussi le cœur du globe central dans le radium.

Les globules, étant donné leur éclat et leur extrême activité, peuvent être aperçus par toute personne qui se donne la peine de regarder, fusant partout dans l'atmosphère; leur nombre est immense, surtout par une journée ensoleillée. La meilleure manière de les discerner est de détacher notre regard du soleil et de fixer notre foyer visuel à quelques pieds de distance, sur un fond de ciel libre. Le globule est brillant mais presque incolore et peut se comparer à la lumière blanche.

Nous avons déjà fait observer que si la force vivifiant ces globules est toute différente de la lumière, elle semble pourtant ne pouvoir se manifester sans elle. Quand le soleil brille, la vitalité jaillit et se renouvelle sans cesse et les globules sont générés en quantités incroyables; au contraire, par un temps nuageux, on remarque dans le nombre des globules formés une grande diminution; enfin pendant la nuit, l'opération paraît entièrement suspendue. Ainsi nous pouvons dire que la nuit nous vivons sur le stock généré la veille, et bien que l'épuisement complet en paraisse impossible, ce stock se raréfie évidemment pendant une longue succession de jours nuageux.

C'est naturellement à l'élémental physique que revient la tâche de défendre le corps et d'assimiler la vitalité (nous le verrons en détail dans le chapitre prochain). Tant que le corps physique est éveillé, les nerfs et les muscles demeurent tendus, prêts à fonctionner instantanément; quand le corps est endormi l'élémental permet aux nerfs et aux muscles de se relâcher et il s'occupe spécialement d'assimiler la vitalité. Ceci explique l'in-

(1) De l'édition française (N. du T.)

fluence puissamment récupératrice du sommeil, même s'il est court.

L'élémental travaille avec le plus de succès dans les premières heures de la nuit, quand la vitalité abonde. Dans le cycle journalier celle-ci se raréfie le plus entre minuit et le lever du soleil; voilà pourquoi tant de mourants expirent dans cet intervalle. D'où aussi le dicton : Une heure de sommeil avant minuit en vaut deux après minuit. Il va sans dire qu'en hiver le prâna est moins abondant qu'en été.

D'autre part, comme le prâna est répandu non seulement sur le plan physique mais sur tous, l'émotion, l'intelligence et la spiritualité seront au maximum sous un ciel pur, et si la lumière solaire leur donne son assistance inestimable. Nous pouvons ajouter que les couleurs mêmes du prâna éthérique correspondent jusqu'à un certain point aux tons correspondants existant au niveau astral. C'est pourquoi les bons sentiments et les pensées nettes réagissent sur le corps physique et l'aident à assimiler le prâna et ainsi à rester sain et vigoureux. Une lumière intéressante se trouve donc ici projetée sur les relations étroites unissant, d'une part la santé spirituelle, mentale et émotionnelle, d'autre part la santé du corps physique. Nous nous rappelons la parole bien connue de Notre Seigneur le Bouddha, que le premier pas sur la route du Nirvâna est une santé physique parfaite.

Après avoir été chargé, le globule de la vitalité demeure un élément sous-atomique et ne semble sujet à aucune modification ou diminution, tant qu'il n'est pas absorbé par un être vivant.

Avant d'aborder l'étude d'un sujet extrêmement intéressant et important, celui de l'absorption du prâna dans le corps physique, il faut d'abord étudier dans le double éthérique le mécanisme rendant cette absorption possible.

CHAPITRE III

Les centres de force

[Voyez diagrammes III (1), (2), (3), (4)]

Dans le double éthérique, de même que dans chacun de nos corps, se trouvent certains centres de force, ou Chakras, comme on les appelle en sanscrit, mot qui signifie roue ou disque tournant.

Les chakras se trouvent placés à la surface du double éthérique, a environ six millimètres du contour du corps physique. Au regard du clairvoyant, ils apparaissent comme des dépressions en forme de soucoupes, des sortes de tourbillons.

Les forces qui se déversent à travers les chakras sont essentielles à la vie du double éthérique, chacun possédant ces centres quoique leur développement varie beaucoup selon les individus. Quand les chakras ne sont pas développés ils luisent à peine; leurs particules éthériques peuvent être animées d'un mouvement relativement lent, et constituer un tourbillon juste suffisant pour la manifestation de la force, rien de plus; chez les individus développés elles peuvent resplendir et palpiter d'une lumière vivante, et les chakras resplendissent comme de petits soleils. Dans ce cas leur dimension varie de cinq à quinze centimètres.

Chez les nouveau-nés ce sont des cercles minuscules, de la largeur d'une pièce de monnaie en bronze, de petits disques durs remuant à peine et faiblement lumineux.

¯ Les Chakras éthériques ont deux fonctions distinctes : la première absorbe et distribue le prâna, ou la vitalité, d'abord dans le corps éthérique et de là dans le corps physique, maintenant ceux-ci en vie. La seconde fonction consiste à amener dans la conscience physique la qualité inhérente au centre astral correspondant.

Par le développement insuffisant des centres éthériques s'explique l'impossibilité de transmettre à la mémoire cérébrale physique le souvenir des expériences astrales. Beaucoup de gens sont tout à fait éveillés et parfaitement conscients sur le plan astral et mènent, dans leur corps astral, une existence active; cependant lorsqu'ils reviennent à leurs corps physiques endormis, c'est à peine si le moindre souvenir de la vie astrale s'in-

DIAGRAMME III

Structure du Centre de Force.

(1) Forme.

De 50 à 150 m/m suivant le développement

Apparence : Dépression en forme de coupe, ou tourbillons, à la surface du double éthérique, qui dépasse le corps physique d'environ 5 à 6 m/m.

Fonction : Transmet les forces de l'Astral à l'éthérique.

N. B. — Des centres semblables existent pour tous les véhicules.

filtre dans le cerveau, simplement parce que le pont éthérique nécessaire n'est pas construit. Quand les centres éthériques sont entièrement développés, le cerveau conserve un souvenir intégral et sans lacunes des expériences astrales.

Il semble qu'il n'y ait aucune connexion entre l'activité et le développement des chakras éthériques d'une part et les qualités morales d'autre part; les deux développements sont tout à fait distincts.

Chaque centre du corps astral correspond à un centre éthérique. Mais, comme le centre astral est un tourbillon ou vortex à quatre dimensions, il s'étend dans une direction toute différente; par conséquent, il n'est pas coextensif au centre éthérique, bien qu'il coïncide en partie avec lui. Les centres éthériques sont toujours situés à la sur-

DIAGRAMME III

Structure du Centre de Force.

(2) Irruption de la Force Vitale.

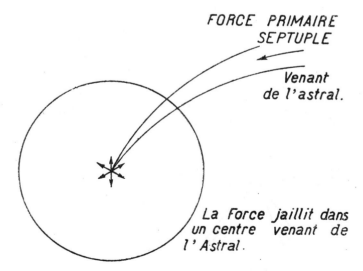

Une des sept variétés de la Force Vitale prédomine dans chaque centre.

Cette irruption de la Force Vitale amène la vie au corps physique.

face du corps éthérique, mais le centre astral est fréquemment à l'intérieur même du corps.

Nous avons déjà vu (Chap. II) qu'il y a sept variétés de Prâna, chacune d'elles se trouvant présente dans tous les chakras; mais dans chacun l'une des variétés prédomine toujours grandement sur les autres.

Le Prâna se précipite dans le centre du chakra en suivant une direction perpendiculaire au plan de celui-ci; « il jaillit » serait peut-être un terme plus précis, car la force passe du plan astral dans l'éthérique. Du centre du chakra la force rayonne alors perpendiculairement à sa direction première, c'est-à-dire dans le plan de la surface du double éthérique, dans de nombreuses directions et suivant des lignes droites. Le nombre des directions, semblables aux rais d'une roue, diffère suivant les chakras.

DIAGRAMME III

Structure du Centre de Force.

(3) Formation des « Rais ».

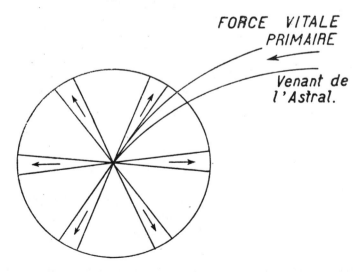

FORCE VITALE
PRIMAIRE

Venant de
l'Astral.

La force primaire jaillit dans le centre et se répand en rayonnant dans les rais, dont le nombre diffère avec chaque centre.

Les rais divisent le chakra en plusieurs segments, ressemblant aux pétales d'une fleur; aussi dans les ouvrages indiens les chakras sont-ils souvent décrits comme semblables à des fleurs.

De même qu'un aimant entouré d'un fil d'induction produit dans ce fil enroulé un courant dont le sens est perpendiculaire à l'axe de direction de l'aimant, de même la force primaire de Prâna ayant pénétré dans le vortex induit des forces secondaires dans le plan du chakra. Ces forces secondaires tournent autour du chakra, passant au-dessus et au-dessous des rais, tout comme l'osier constituant le fond d'un panier circulaire passe alternativement au-dessus et au-dessous des côtes qui rayonnent du centre.

DIAGRAMME III

Structure du Centre de Force.

(4) Formation des Forces Secondaires.

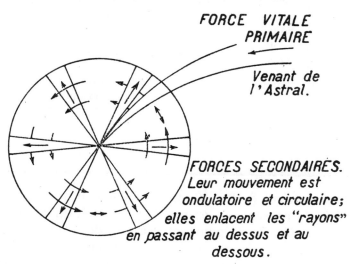

FORCE VITALE PRIMAIRE

Venant de l'Astral.

FORCES SECONDAIRES. Leur mouvement est ondulatoire et circulaire; elles enlacent les "rayons" en passant au dessus et au dessous.

Chacune des forces secondaires qui tournoient dans la concavité en forme de soucoupe possède sa longueur d'onde particulière; de plus, au lieu de se mouvoir en ligne droite, elle se propage en ondulations relativement grandes, dont chacune est un multiple des longueurs d'onde plus petites qu'elle comprend. Les longueurs d'onde sont infinitésimales : il en existe probablement des milliers dans une seule ondulation, mais la proportion exacte n'a pu être encore déterminée. Leur aspect général irisé et ondulé, rappelle la nacre ou encore une certaine espèce de verre vénitien.

Les chakras, dit-on souvent, correspondent à certains organes physiques, ceux dont ils sont le plus rapprochés; mais, comme nous l'avons déjà fait observer, les chakras eux-mêmes ne se trouvent pas à l'intérieur du corps, mais bien à la surface du double éthérique.

Voici la liste des chakras et leurs noms :

NUMÉROS	ORGANE PHYSIQUE LE PLUS RAPPROCHÉ	NOM SANSCRIT
1	Base de l'épine dorsale.	Mulhadhara.
2	Ombilic.	Manipoura.
3	Rate.	Svadhisthana.
4	Cœur.	Anahata.
5	Gorge.	Visouddha.
6	Entre les sourcils.	Ajna.
7	Sommet de la tête.	Sahasrara.
		Brahmarandhra.
8 9 10	Organes inférieurs.	

Les numéros 8, 9 et 10 qui se rattachent aux organes inférieurs ne sont pas employés par les étudiants de la magie « blanche »; pourtant il existe des écoles qui en font usage. Les dangers qui correspondent à ces chakras sont si graves que nous considérons l'éveil des centres en question comme le plus grand des malheurs.

Le courant de vitalité qui se déverse dans ou à travers un chakra quelconque est tout à fait indépendant et distinct de l'épanouissement déterminé dans le chakra par l'éveil de Koundalini — éveil qui sera décrit au chapitre XIII.

Nous allons maintenant étudier successivement les chakras; nous examinerons la structure, l'apparence, la fonction de chacun et les facultés qui lui sont associées. Pour certaines raisons qui seront données plus loin, il y aura tout avantage à commencer par le troisième centre, situé près de la rate.

CHAPITRE IV

Centre splénique

[Voyez diagrammes IV (1), (2), (3), (4)]

Le centre splénique a six rais et par conséquent autant de pétales ou ondulations. Il a un aspect particulièrement rayonnant et resplendit comme un soleil.

DIAGRAMME IV

Centre splénique.

(1) Structure.

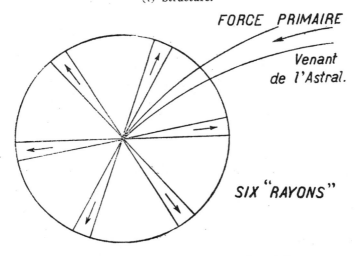

Apparence générale : « Radiant et couleur du soleil ».

Fonction du Centre Astral : Vitalise le corps astral. Permet de voyager consciemment.

Fonction du Centre Ethérique : Vitalise le corps physique et permet le souvenir des voyages en astral.

Il est unique en ce sens qu'il a pour importante fonction d'absorber tous les globules de vitalité de l'atmosphère, de les désintégrer et de distribuer les atomes qui le constituent, atomes chargés de Prâna spécialisé, dans les différentes parties du corps physique.

Le diagramme n° IV (2), (3) et (4) fera comprendre aisément ce processus.

DIAGRAMME IV

Centre splénique.

(2) Absorption des globules de Vitalité.

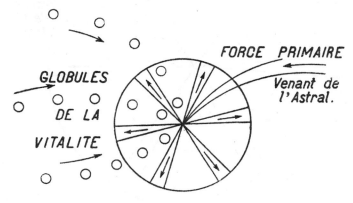

Les globules de Vitalité sont entraînés au centre du Centre de Force.

Les globules de vitalité pénètrent d'abord dans le chakra de la rate où ils sont fractionnés en sept atomes, chaque atome étant chargé de l'une des sept variétés de Prâna; ces atomes sont alors captés par les forces secondaires en rotation et enroulés autour du chakra.

Les sept différentes sortes de prâna ont les couleurs suivantes : violet, bleu, vert, jaune, orangé, rouge foncé, et rouge rosé.

On remarquera que les divisions ne sont pas exactement celles dont nous nous servons d'ordinaire dans le spectre solaire; elles rappellent plutôt les combinaisons de couleurs que nous voyons à des niveaux plus élevés dans les corps causal, mental et astral. L'indigo du spectre solaire est partagé entre les rayons violet et bleu du Prâna, tandis que le rouge du spectre se trouve séparé en deux — le rouge-rosé et le rouge foncé.

DIAGRAMME IV

Centre splénique.

(3) Décomposition des globules de vitalité.

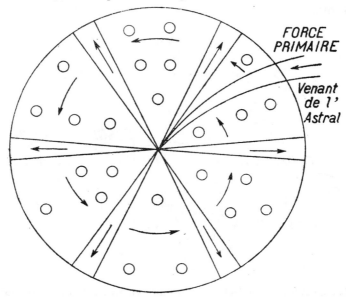

FORCE PRIMAIRE

Venant de l' Astral

Les globules de vitalité, après avoir pénétré dans le Centre, sont décomposés, et les particules sont entraînées par la « Force secondaire ».

Chacun des six rayons s'empare alors de l'une des variétés d'atome et l'envoie au chakra ou à la partie du corps qui en a besoin. Il en est ainsi pour six sortes d'atomes seulement. Quant au septième, ou atome rouge foncé, il s'engouffre dans le centre ou vortex du chakra splénique lui-même, d'où il est distribué dans tout le système nerveux. Les atomes de coloration rouge-rosé sont les atomes originaux qui, tout d'abord, s'adjoignirent les six autres pour former le globule.

Ces atomes porteurs du Prâna rosé sont certainement la vie du système nerveux, et c'est cette variété de Prâna qu'un homme peut déverser dans un autre homme (voir chapitre XIII). Si les nerfs ne reçoivent pas en abondance ce prâna rosé ils deviennent sensitifs et extrêmement irritables; le patient est en proie à l'agitation, et le moindre bruit, le moindre contact sont pour lui un supplice. Le prâna spécialisé par une personne bien portante vient-il inonder ses nerfs, le soulagement est immédiat.

DIAGRAMME IV

Centre splénique.

(4) Dispersion des particules de vitalité.

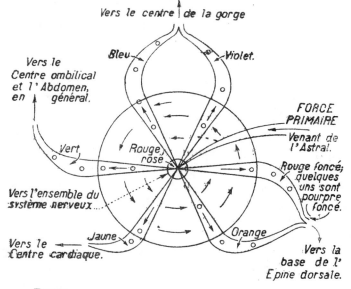

Vers le centre de la gorge

Vers le Centre ombilical et l'Abdomen, en général.

Bleu — Violet.

FORCE PRIMAIRE Venant de l'Astral.

Vert

Rouge rosé

Rouge foncé; quelques uns sont pourpre foncé.

Vers l'ensemble du système nerveux...

Vers le Centre cardiaque.

Jaune

Orange

Vers la base de l'Épine dorsale.

Processus :

1. Les globules de vitalité sont attirés dans le centre.
2.   —   —   sont séparés en particules.
3.   —   —   sont entraînés en tourbillonnant par les forces « secondaires ».
4.   —   —   sont saisis par les rais appropriés, et envoyés à leur destination particulière.

N. B. — Les atomes rouge-rosé sont les atomes originaux qui, les premiers, attirent autour d'eux 6 autres atomes pour former les globules.

Quoiqu'il existe sept différentes sortes de Prâna, il n'y a toutefois que cinq principaux courants, ainsi qu'ils sont décrits dans quelques livres indous, car après leur sortie du chakra de la rate le bleu et le violet se rejoignent en un seul courant, et l'orangé et le rouge foncé en un autre courant. Ces courants quittent la rate horizontalement.

Les couleurs des courants et leurs destinations sont décrits ainsi :

Numéros	Courant	Destination
1	Violet-bleu.	Centre de la gorge.
2	Vert.	Centre de l'ombilic et abdomen en général.
3	Jaune.	Centre cardiaque.
4	Rouge orangé foncé (avec du violet)	Centre de la base de l'épine dorsale.
5	Rouge rosé.	Système nerveux.

Toutes les différentes sortes d'atomes porteurs de prâna ayant été réparties entre les points qui en avaient besoin, leur charge de prâna leur est retirée, précisément comme serait coupé un courant électrique. Le prâna vitalise le double éthérique et par lui le corps dense, la santé des diverses régions du corps dépendant en grande partie du volume de prâna distribué. Le rôle joué par ce fait remarquable dans le maintien de la vigueur physique et dans les guérisons est évidemment d'une importance capitale; nous l'étudierons de plus près dans la section consacrée aux guérisons et au mesmérisme.

Les atomes porteurs de prâna rosé pâlissent par degrés en s'avançant le long des nerfs et se séparent de leur contenu prânique; ils finissent par être expulsés du corps par les pores (d'autres manières aussi) et forment ainsi ce que l'on nomme l'Aura de Santé, émanation d'un blanc bleuâtre, représentée dans *L'Homme visible et invisible,* page 112.

Dans un homme de santé vigoureuse, la rate fonctionne si généreusement que le nombre des particules chargées de prâna est bien supérieur aux besoins personnels de l'individu. Les particules non employées sont expulsées du corps dans toutes les directions, par l'Aura de Santé, en même temps que celles épuisées de leur prâna. Un homme aussi vigoureux est pour tout son entourage une source de force et de santé; constamment, mais sans le savoir, il déverse la vitalité sur toute personne qui l'approche. L'effet peut se trouver fort intensifié par les gens qui s'appliquent méthodiquement à la guérison d'autrui, soit par des passes mesmériques, soit d'autres façons, comme nous l'exposerons plus en détail dans un autre chapitre.

On sait également qu'avec les particules ci-dessus mentionnées de petites parcelles de matière dense physique sont continuellement expulsées du corps humain par la transpiration insensible et autrement. Un clairvoyant les aperçoit sous l'apparence d'un faible brouillard grisâtre. Beaucoup des particules sont de forme cristalline et par conséquent présentent des formes géométriques; l'une des plus communes est celle du chlorure de sodium ou sel commun, qui prend la forme de cubes.

Par contre, une personne incapable, pour une raison quelconque, de spécialiser pour elle-même une quantité suffisante de prâna, agit souvent et inconsciemment, comme une éponge; son élémental physique soustrait la vitalité de toute personne sensitive se trouvant à proximité; sur le moment il en profite, mais sa victime en souffre souvent beaucoup. Ce phénomène explique en grande partie les sensations d'épuisement et de langueur que l'on éprouve dans le voisinage de personnes de tempérament faible qui possèdent la fâcheuse et vampirique faculté de dérober la vitalité d'autrui. Cela peut arriver, souvent d'une façon plus grave, dans les séances de spiritisme.

Le règne végétal absorbe aussi la vitalité, mais généralement ne semble en utiliser qu'une minime partie. Beaucoup d'arbres, surtout le pin et l'eucalyptus, empruntent à ces globules presque les mêmes principes que le fait la partie supérieure du corps éthérique humain et rejettent tous les atomes superflus, chargés de prâna rosé, dont ils n'ont pas eux-mêmes besoin. C'est pourquoi la présence de ces arbres dans le voisinage est extrêmement salutaire pour les personnes souffrant d'affaissement nerveux.

L'Aura de Santé, formée par ces particules expulsées du corps, joue un rôle utile, celui de protéger l'homme contre l'invasion des germes morbides. Dans l'état de santé ces particules sont rejetées à travers les pores en ligne droite, normalement à la surface du corps, et donnent ainsi à l'aura de santé un aspect strié. Tant que les lignes demeurent rigides, le corps semble à peu près à l'abri d'influences physiques mauvaises, telles que germes de maladie; ceux-ci sont littéralement repoussés et entraînés par le courant centrifuge de la force prânique. Mais si la faiblesse, des fatigues trop grandes, une blessure, le découragement ou les excès d'une vie déréglée, rendent nécessaire qu'un volume considérable de prâna vienne réparer la dilapidation ou les lésions physiques, et si par conséquent la quantité émise subit une sérieuse diminution, les rayons de l'aura de santé s'affaissent et les germes pernicieux peuvent avec une facilité relative s'ouvrir un passage (voy. pl. XXV, *Homme visible*).

Dans *The Science of Breath* (1), traduit par Rama Prasad, il est dit que la distance naturelle du corps à la périphérie du « halo » de Prâna est de dix « doigts » pendant l'inspir et douze pendant l'expir. D'autres fois les distances sont données comme suit : en mangeant et en parlant, 18; en marchant, 24; en courant, 42; dans la cohabitation, 65; en dormant, 100. La distance diminue, assure-t-on, quand l'homme maîtrise le désir, obtient les 8 Siddhis, etc. Il semble probable, mais sans certitude aucune, que le « halo » ainsi mentionné est l'aura de santé. Cependant les distances indiquées semblent exagérées. Il est possible que par « doigt » l'auteur entende l'épaisseur et non la longueur du doigt. Ceci permettrait de concilier les mesures ci-dessus et les observations des investigateurs modernes.

(1) *La Science du Souffle* (N. du T.).

La matière éthérique et le prâna sont très sensibles à l'action de la pensée humaine; aussi est-il possible de se protéger efficacement contre les influences nocives mentionnées, en arrêtant par un effort de volonté la radiation de vitalité à la limite extérieure de l'aura de santé et d'y transformer cet aura en un mur ou coque impénétrable aux germes morbides et empêchant du même coup la vitalité d'être soutirée par tout voisin porté au vampirisme.

Un petit effort additionnel suffira pour constituer une enveloppe impénétrable aux influences astrales ou mentales.

La question des coques éthériques est si importante qu'il deviendra nécessaire tout à l'heure de nous en occuper plus longuement que nous ne venons de le faire, nous étant bornés à étudier l'aura de santé.

Le développement du centre splénique permet à l'homme de se rappeler ses déplacements astrals, quelquefois, il est vrai, assez incomplètement; la faculté associée au centre astral correspondant est celle de voyager consciemment dans le corps astral. Ces vagues souvenirs que rapportent la plupart d'entre nous, d'avoir, en volant, traversé délicieusement l'espace, ont fréquemment pour cause une légère ou accidentelle stimulation du chakra splénique.

Mentionnons en passant que le centre astral correspondant à la rate a encore pour fonction de vitaliser le corps astral tout entier.

CHAPITRE V

Centre de la base de l'épine dorsale

[Voy. diagrammes V (*a*) et (*b*)]

Le premier centre ou chakra situé à la base de l'épine dorsale possède une force primaire qui présente quatre rais, donnant au centre l'apparence d'être divisé en quarts de cercle; ils sont séparés par des creux et ressemblent à une croix, symbole fréquemment employé pour représenter ce centre.

DIAGRAMME V

Centre de la base de l'épine dorsale.

(*a*) Personne normale.

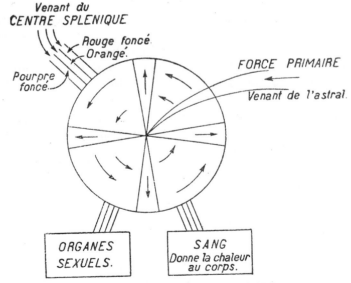

Fonction du Centre astral : Siège de Koundalini.
Fonction du Centre éthérique : Siège de Koundalini.
Apparence : orangé-rouge couleur feu. Nombre de rais : 4.
N. B. — Koundalini possède sept degrés de force.

DIAGRAMME V

Centre de l'épine dorsale.

(*b*) Personne développée.

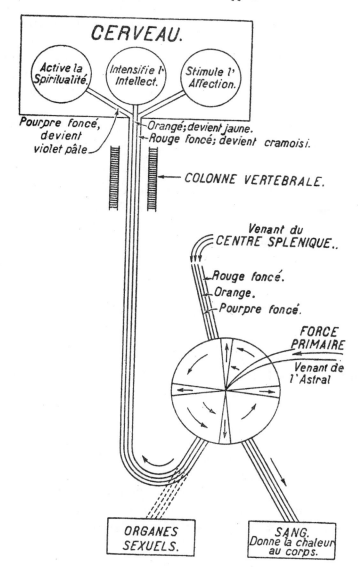

Quand son activité est devenue complète, ce centre est d'un rouge-orangé intense, qui rappelle beaucoup le courant de vitalité (rouge-orangé foncé) envoyé par le centre splénique. Ajoutons qu'il existe toujours une correspondance semblable entre la couleur du courant de vitalité se jetant dans un centre et la couleur du centre lui-même.

S'ajoutant aux rouges-orangés et plus foncés, ce centre reçoit encore un courant de vitalité pourpre foncé, comme si, le spectre s'infléchissant en cercle, les couleurs recommençaient à un octave inférieur.

De ce centre, le rayon rouge-orangé passe aux organes génitaux et apporte l'énergie à la nature sexuelle, il semble aussi pénétrer dans le sang et maintenir la chaleur corporelle.

En refusant avec persistance de céder à la nature inférieure, il est possible d'obtenir un effet très remarquable et très important. Par des efforts prolongés et énergiques, le rayon rouge-orangé détourné de son itinéraire, peut être dirigé de bas en haut vers le cerveau, où ses éléments subissent une modification profonde. L'orangé passe au jaune pur et intensifie les facultés intellectuelles; le rouge foncé devient cramoisi et renforce l'affection désintéressée; le pourpre foncé est transmué en un beau violet pâle, et active le côté spirituel de notre nature.

Koundalini, le feu-serpent, réside dans le centre placé à la base de l'épine dorsale. Nous en parlerons dans un autre chapitre. Pour l'instant bornons-nous à noter qu'un homme qui a effectué la transmutation ci-dessus mentionnée, se verra délivré des désirs sensuels; quand pour lui l'éveil du feu-serpent sera devenu nécessaire, les plus graves dangers accompagnant cet éveil lui seront évités. La transformation est-elle complète et finale, le rayon rouge-orangé passe directement dans le centre situé à la base de l'épine dorsale, puis s'élève dans la cavité de la colonne vertébrale et atteint le cerveau.

CHAPITRE VI

Centre ombilical

[Voy. diagramme VI]

Le deuxième centre, situé à l'ombilic (au plexus solaire) reçoit une force primaire qui rayonne dans dix
directions, puisqu'il présente dix ondulations ou pétales.
Sa couleur prédominante est un curieux mélange de
plusieurs tons de rouge, mais contenant aussi beaucoup
de vert. Du centre splénique il reçoit le rayon vert qui
envahit aussi l'abdomen en vivifiant le foie, les reins,
les intestins et, généralement parlant, l'appareil digestif;
il se concentre particulièrement dans le plexus solaire.

DIAGRAMME VI

Centre ombilical.

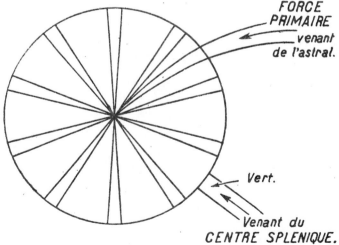

FORCE
PRIMAIRE
venant
de l'astral.

Vert.

Venant du
CENTRE SPLENIQUE.

Fonction du Centre astral : Perception, sensibilité générale.
Fonction du Centre éthérique: Sensible aux influences astrales.
Apparence : Variété de tons rouges, avec beaucoup de vert.
Nombre de rais : 10.

Ce centre se rapporte étroitement aux sentiments et aux émotions de divers genres. Le centre astral correspondant, une fois éveillé, donne la faculté de sentir, une certaine sensitivité à toutes sortes d'influences, mais sans rien qui ressemble encore à la compréhension précise obtenue par les facultés correspondant à la vue et à l'ouïe. Quand donc le centre éthérique devient actif, l'homme dans le corps physique commence à devenir conscient des influences astrales; il sent vaguement autour de lui la bienveillance et l'hostilité; ou encore le caractère agréable de certains endroits, désagréable de certains autres, mais sans absolument savoir pourquoi.

Le nom donné en sanscrit à ce centre est Manipoura.

CHAPITRE VII

Centre cardiaque

[Voy. diagramme VII]

Ayant parlé du troisième centre (centre splénique), passons au quatrième (centre cardiaque).

Ce chakra présente douze rais; il est jaune d'or luisant et reçoit du centre splénique le rayon jaune; quand le courant est abondant et fort il communique à l'action du cœur l'énergie et la régularité. Faisant le tour du

DIAGRAMME VII

Centre cardiaque.

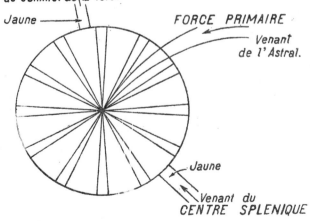

Vers le CERVEAU et principalement vers le CENTRE situé au sommet de la Tête.

Jaune

FORCE PRIMAIRE

Venant de l'Astral.

Jaune

Venant du CENTRE SPLENIQUE

N. B. — Le rayon jaune pénètre le sang, et circule avec lui à travers tout le corps.

Fonction du Centre astral : Compréhension des vibrations astrales.
Fonction du Centre éthérique : Conscience de la sensibilité des autres.
Apparence : Or incandescent. Nombre des rais : 12.

chakra cardiaque, le rayon jaune imprègne également
le sang et par lui est emporté dans toutes les régions
du corps; il se rend aussi au cerveau et l'imprègne, bien
que son but principal soit la fleur à douze pétales au
milieu du septième centre, ou centre le plus élevé. Dans
le cerveau, il donne la faculté de se livrer aux plus
hautes pensées philosophiques et métaphysiques.

Le centre astral correspondant, après son éveil, confère
à l'homme la faculté d'admettre, d'accueillir avec sympathie et ainsi de comprendre instinctivement les sentiments des autres entités astrales.

Ainsi le centre éthérique permet à l'homme, dans sa
conscience physique, de sentir les joies et les peines de
ses semblables, et parfois même de reproduire en soi-
même, par sympathie, les souffrances, les douleurs physiques d'autrui.

Le nom donné en sanscrit à ce centre est Anâhata.

CHAPITRE VIII

Centre de la gorge

[Voy. diagramme VIII]

Ce chakra, le cinquième, a seize rais et par conséquent seize pétales ou divisions; sa couleur contient beaucoup de bleu, mais l'effet général est argenté, chatoyant, un peu celui de la clarté lunaire tombant sur l'eau qui ruisselle.

DIAGRAMME VIII

Centre de la gorge.

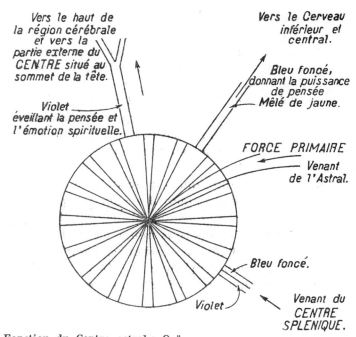

Vers le haut de la région cérébrale et vers la partie externe du CENTRE situé au sommet de la tête.

Violet éveillant la pensée et l'émotion spirituelle.

Vers le Cerveau inférieur et central.

Bleu foncé, donnant la puissance de pensée Mêlé de jaune.

FORCE PRIMAIRE Venant de l'Astral.

Bleu foncé.

Violet

Venant du CENTRE SPLENIQUE.

Fonction du Centre astral : Ouïe.
Fonction du Centre éthérique : Audition éthérique et astral.
Apparence : Argenté et chatoyant, avec beaucoup de bleu. Nombre de rais : 16.

Il reçoit du chakra splénique le rayon violet-bleu; celui-ci paraît alors se diviser; le bleu clair traverse et vivifie le centre de la gorge, tandis que le bleu foncé et le violet vont gagner le cerveau.

Le bleu clair donne la santé à la région de la gorge. La force et l'élasticité des cordes vocales, par exemple chez un grand chanteur ou orateur, coïncident avec une activité et un éclat particuliers de ce rayon.

Le bleu foncé se dépense dans les régions inférieures et centrales du cerveau, tandis que le violet en inonde les régions supérieures et paraît communiquer une vigueur spéciale au chakra du sommet de la tête, en se répandant principalement dans les neuf cent soixante pétales entourant ce centre vers l'extérieur.

La pensée ordinaire est stimulée par le rayon bleu, mêlé à une partie du jaune (venant du centre cardiaque, voyez chapitre VII).

Dans certaines formes d'idiotie, le cours du jaune et du bleu-violet vers le cerveau est à peu près arrêté.

La pensée et l'émotion d'un type spirituel élevé semblent dépendre surtout du rayon violet.

L'éveil du centre astral correspondant donne la faculté de percevoir les sons sur le plan astral, c'est-à-dire la faculté qui, dans le monde astral, produit un effet semblable à ce que nous appelons l'ouïe dans le monde physique.

Quand le centre éthérique est éveillé, l'homme dans sa conscience physique entend des voix qui parfois lui suggèrent toutes sortes de choses; il peut aussi entendre de la musique ou d'autres sons moins agréables; quand l'éveil est complet, l'homme devient clairaudient en ce qui concerne les plans éthérique et astral.

Le nom donné en sanscrit à ce centre est Visouddha.

CHAPITRE IX

Centre placé entre les sourcils

[Voy. diagramme IX]

Le sixième centre, placé entre les sourcils, a quatre-vingt-seize rais; cependant les ouvrages indiens ne lui donnent que deux pétales, sans doute parce qu'il a l'air d'être partagé en deux moitiés; l'une de celles-ci est principalement rose, contenant d'ailleurs beaucoup de jaune; dans l'autre domine une sorte de bleu violacé.

DIAGRAMME IX
Centre placé entre les sourcils.

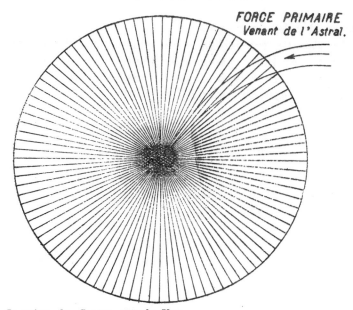

Fonction du Centre astral: Vue.
Fonction du Centre éthérique : Clairvoyance : amplification.
Apparence : Moitié rose, avec beaucoup de jaune; moitié une sorte de bleu pourpré. Nombre de rais : 96.

L'auteur n'a réussi à trouver aucune description spécifique concernant la source d'où s'échappe le courant prânique se déversant dans ce centre, bien que dans *The Inner Life*, il soit dit que l'apparence bleu-violacé de la moitié de ce centre s'accorde étroitement avec les couleurs des types particuliers de vitalité qui le vivifient. Il paraît s'agir ici du **rayon bleu foncé (et violet?)** qui dépasse le centre de la gorge et va gagner le cerveau.

Le développement du centre astral correspondant confère la faculté de percevoir nettement la nature et la forme des objets astrals, au lieu d'être vaguement conscient de leur présence.

L'éveil du centre éthérique permet à l'homme de commencer à voir des objets et d'avoir, tout éveillé, des visions de certains lieux ou de certaines personnes. Tout au commencement de l'éveil, on perçoit à demi des paysages et des nuages colorés. Le développement complet détermine la clairvoyance.

La faculté remarquable de grossir ou de diminuer l'objet examiné dépend de ce centre; nous la décrirons dans le chapitre traitant de la vue éthérique.

Le nom sanscrit donné à ce centre est A'jna.

CHAPITRE X

Centre placé au sommet de la tête

[Voy. diagramme X]

Ce centre, le septième, situé au sommet de la tête, n'est pas construit tout à fait comme les autres. Les ouvrages indiens le nomment le lotus aux mille pétales, bien que le nombre exact des rais de la force primaire soit 960; en outre, il possède une espèce de tourbillon secondaire ou activité mineure, en son centre qui à lui seul possède douze ondulations.

Quand son éveil est complet, ce chakra est peut-être le plus resplendissant de tous, offrant toutes sortes de colorations indescriptibles et vibrant avec une rapidité presque inconcevable. La région centrale en est d'un blanc éclatant relevé, en son cœur même, d'un ton doré.

Ce centre reçoit dans sa partie externe le rayon violet qui passe par le centre situé à la gorge et en son milieu le rayon jaune venant du centre cardiaque.

L'éveil du centre astral correspondant est le couronnement de la vie astrale, car il confère à l'homme la plénitude de ses facultés.

Dans un certain type humain, les chakras astrals correspondant aux sixième et septième chakras éthériques, convergent tous deux sur le corps pituitaire; ce dernier organe représentant en somme la seule communication entre le plan physique et les plans au-dessus.

Dans un autre type humain, si le sixième chakra est encore relié au corps pituitaire, le septième est plié ou dévié jusqu'à ce qu'il coïncide avec l'organe atrophié nommé la glande pinéale; celle-ci devient alors, chez les personnes de ce type, un point de communication directe avec le mental inférieur, sans passer, semble-t-il, comme d'ordinaire ₁ar e ᶜlan · stral intermédiaire. D'où l'importance attachée quelquefois au développement de la glande pinéale.

DIAGRAMME X

Centre situé au sommet de la tête.

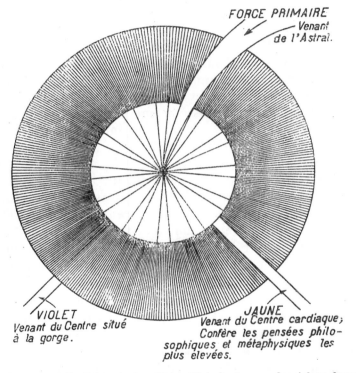

FORCE PRIMAIRE
Venant
de l'Astral.

VIOLET
Venant du Centre situé
à la gorge.

JAUNE
Venant du Centre cardiaque;
Confère les pensées philosophiques et métaphysiques les
plus élevées.

Apparence : Partie centrale : blanc étincelant, avec des éclats dores.
Partie extérieure : la plus resplendissante de tous, avec toutes sortes de colorations indescriptibles.
Nombre de rais : Partie centrale : 12; Partie extérieure : 960.
Fonction du Centre astral : Perfectionne et complète les facultés.
Fonction du Centre éthérique : Donne une continuité de conscience.

L'éveil du centre éthérique permet à l'homme de quitter le corps physique en conservant sa pleine conscience et aussi d'y rentrer sans l'interruption de conscience habituelle; ainsi de jour et de nuit la conscience reste continue.

La raison d'être de la tonsure prescrite par l'Eglise Romaine est de laisser à découvert le brahmarandra chakra, de façon à donner pleine liberté à l'énergie psychique que, dans leurs méditations, les candidats doivent chercher à éveiller.

CHAPITRE XI

Excrétions

[Voy. diagramme XI]

Le corps physique fait usage de ses matériaux, puis expulse les restes inutiles par la voie des cinq organes excrétoires — la peau, les poumons, le foie, l'intestin et les reins — de même le corps éthérique emploie les matériaux qui lui sont fournis par les aliments physiques et l'absorption du Globule de la vitalité, puis expulse de diverses façons les parcelles inutiles.

Nous donnons ici un tableau de ces excrétions; les résultats qu'il indique peuvent être décrits comme suit :

Par l'haleine et les pores sont expulsés à la fois les particules blanc-bleuâtre dont le prâna a été extrait, certaines autres encore chargées de prâna rose mais dont le corps n'a plus besoin, enfin les atomes appartenant aux rayons bleus et employés par le centre situé à la gorge.

Par les organes excrétoires inférieurs passent les atomes vides appartenant au rayon vert et venant de l'appareil digestif, comme aussi, dans le cas de l'homme ordinaire, les atomes du rayon rouge-orangé.

A travers le sommet de la tête passent les atomes appartenant aux rayons bleu foncé et violet.

Cependant, chez une personne développée qui a infléchi complètement de bas en haut le rayon rouge-orangé, les particules de ce rayon sont expulsées par le sommet de la tête; celles-ci forment une cascade ignée, souvent représentée par une flamme dans les statues anciennes du Bouddha et d'autres saints.

Les atomes vidés de leur Prâna, redeviennent exactement des atomes comme les autres; les uns sont absorbés par le corps et entrent dans les combinaisons diverses qui se forment continuellement; les autres, restant inutilisés, sont expulsés par un canal approprié quelconque.

DIAGRAMME XI

Excrétions.

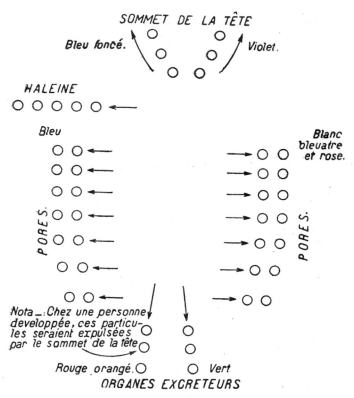

N. B. — Certaines particules, vidées de vitalité, sont employées pour la construction ou pour nourrir le corps éthérique.

Ajoutons que la matière du double éthérique lui-même est également et sans cesse expulsée du corps par les pores, tout comme la matière gazeuse; par conséquent, les personnes rapprochées l'une de l'autre sont exposées à absorber mutuellement leurs émanations éthériques.

C'est par les extrémités des doigts de la main et du pied que la matière éthérique rayonne le plus vigoureusement; d'où la grande importance de tenir ces régions du corps dans un état de propreté scrupuleuse. C'est ainsi, par exemple, qu'une personne aux ongles sales déverse continuellement dans le monde éthérique un courant d'influence malsaine.

Les émanations physiques du corps, consistant surtout en sels extrêmement divisés, se présentent au clairvoyant sous l'aspect de formes innombrables et minuscules, telles que disques, étoiles et pyramides doubles. Le caractère de ces particules microscopiques peut être affecté par une santé précaire, par une vague d'émotion ou même par tel genre de pensées. A cet égard, le Professeur Gates a, paraît-il, déclaré : 1° que les émanations matérielles du corps vivant diffèrent suivant l'état d'esprit, comme suivant les conditions de la santé physique; 2° que les émanations peuvent être traitées par les réactions chimiques de certains sels de sélénium; 3° que ces réactions sont caractérisées par différentes teintes ou couleurs, suivant la nature des impressions mentales; 4° que l'on est déjà parvenu à obtenir quarante sortes d'émotion-produits, comme les appelle le Professeur Gates.

CHAPITRE XII

Ensemble des résultats

[Voyez diagrammes XII, XIII et le tableau]

Pour la commodité des étudiants et faciliter les références, un sommaire des processus décrits dans les chapitres II à XI est donné dans la table ci-dessous.

Les mêmes renseignements sont fournis par un tableau de distribution offrant la synthèse de ces processus sous une forme graphique, depuis l'origine solaire du prâna, jusqu'à l'expulsion, hors du corps physique, des particules dont le prâna fut extrait.

Enfin, un autre diagramme montre la silhouette du corps humain, la position approximative des centres éthériques, les courants de vitalité, et d'autres renseignements utiles.

DIAGRAMME XII

Tableau de distribution.

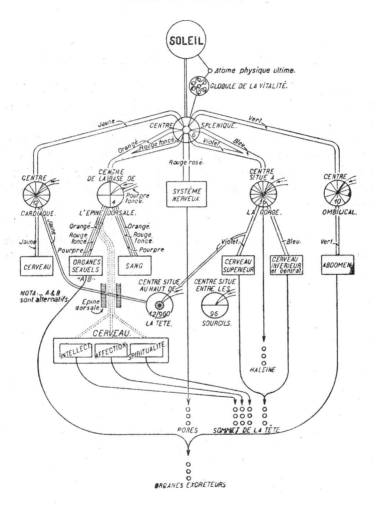

DIAGRAMME XIII
L'homme et ses centres éthériques.

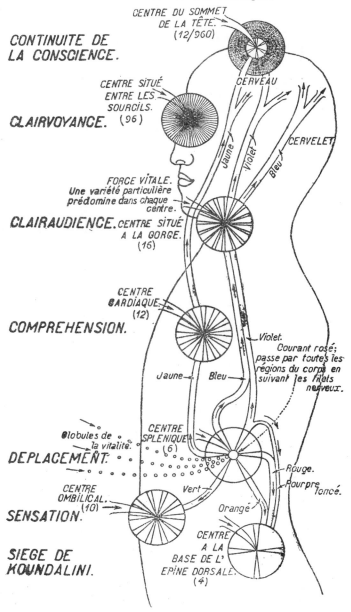

CONTINUITE DE
LA CONSCIENCE.

CENTRE DU SOMMET
DE LA TÊTE.
(12/960)

CERVEAU

CENTRE SITUÉ
ENTRE LES
SOURCILS.

CLAIRVOYANCE. (96)

CERVELET

Jaune

Violet

Bleu

FORCE VITALE.
Une variété particulière
prédomine dans chaque
centre.

CLAIRAUDIENCE. CENTRE SITUÉ
A LA GORGE.
(16)

CENTRE
CARDIAQUE.
(12)

COMPREHENSION.

Violet.
Courant rosé;
passe par toutes les
régions du corps en
suivant les filets
nerveux.

Jaune

Bleu

Globules de
la vitalité.

CENTRE
SPLENIQUE
(6)

DEPLACEMENT.

Rouge.

Pourpre
foncé.

CENTRE
OMBILICAL.
(10)

SENSATION.

Vert

Orangé

SIEGE DE
KOUNDALINI.

CENTRE
A LA
BASE DE L'
EPINE DORSALE.
(4)

TABLEAU

Nᵒˢ	EMPLACEMENT	RAYONS	ASPECT	VITALITÉ REÇUE	VITALITÉ ENVOYÉE
1	Base de l'épine dorsale.	4	Orangé-rouge incandescent.	Orangé et rouge venant du centre splénique avec un peu de pourpre sombre.	—
2	Ombilic.	10	Variétés de rouge avec beaucoup de vert.	Vert, du Centre splénique.	—
3	Rate.	6	Radiant.		(1) Bleu-violet, à la gorge.
					(2) Jaune, au cœur.
					(3) Vert, au Plexus solaire.
				—	(4) Rose, au système nerveux.
					(5) Orangé-rouge, à la base de l'épine dorsale, avec du pourpre sombre.
4	Cœur.	12	Or incandescent.	Jaune, du centre splénique.	Jaune, au sang, au cerveau et au centre coronal.
5	Gorge.	16	Argent brillant avec beaucoup de bleu.	Violet-bleu du centre splénique.	Bleu foncé, au cerveau inférieur et central. Violet, au cerveau supérieur et à la partie extérieure du centre coronal.
6	Entre-sourcils.	96	Moitié : rose avec beaucoup de jaune. Moitié : bleu-pourpré.	?	—
7	Coronal.	12	Centre : brillant blanc et or.	Jaune, du centre du cœur.	—
		960	Partie externe :	Violet, du centre de la gorge.	—
8 9 10	Non employés en « magie blanche ».			—	—
1	*Dans une personne développée.* Base de l'épine dorsale.	4	Orangé-rouge incandescent.	Orangé et rouge du centre splénique, avec un peu de pourpre sombre.	—

TABLEAU

Nos	RÉGIONS VITALISÉES	FONCTION DU CENTRE ASTRAL	FONCTION DU CENTRE ÉTHÉRIQUE
1	Organes sexuels. Sang, pour la chaleur du corps.	Siège de Koundalini. Koundalini va à chaque centre en tournant et le vivifie.	Siège de Koundalini. Koundalini va à chaque centre en tournant et le vivifie.
2	Plexus solaire, foie, reins, intestins et l'abdomen en général.	Toucher : sensibilité générale.	Toucher : influences astrales.
3	—	Vitalise le corps astral. Pouvoir de voyager consciemment.	Vitalise le corps physique. Mémoire des déplacements astrals.
4	Cœur.	Compréhension des vibrations astrales.	Conscience des émotions des autres.
5	—	Ouïe.	Ouïe astrale et éthérique.
6	—	Vue.	Clairvoyance.
7	—	Perfectionne et complète les facultés.	Amplification. Continuité de conscience.
8 9 10	—	—	—
1	Orangé, à travers l'épine dorsale, au cerveau : devient jaune et stimule l'intellect. Rouge foncé, à travers l'épine dorsale, au cerveau : devient rose et stimule l'affection. Rouge pourpre, à travers l'épine dorsale, au cerveau : violet pâle et stimule la spiritualité.		—

CHAPITRE XIII

Koundalini

Comme nous l'avons déjà vu, Koundalini, ou le Feu-
Serpent, est une des forces issues du soleil, entièrement
indépendante et distincte de Fohat comme de Prâna et
qu'en l'état actuel de nos connaissances nous croyons
incapable d'être convertie en aucune forme de ces autres
énergies.

Koundalini a reçu des noms divers : le Feu-Serpent,
la Puissance ignée, la Mère du Monde. Littéralement,
elle apparaît au clairvoyant comme un torrent de feu
liquide parcourant le corps; son trajet normal est une
spirale semblable aux replis d'un serpent; « Mère du
Monde » est un nom assez approprié parce que c'est par
elle que peuvent être vivifiés nos divers véhicules.

Il faut voir un antique symbole de la colonne vertébrale et de Koundalini dans le thyrse, bâton surmonté
d'une pomme de pin. Dans l'Inde nous trouvons le même
symbole; le bâton y est remplacé par un bambou à sept
nœuds qui naturellement représentent les sept chakras
ou centres de force. Dans certains mystères, un tube de
fer passant pour contenir du feu était employé au lieu
du thyrse. L'insigne des barbiers, symbole certainement
très ancien, avec ses bandes en spirale et sa protubérance
terminale a, dit-on, la même signification, car le barbier
moderne est le successeur des anciens chirurgiens, qui
pratiquaient aussi l'alchimie, science jadis plus spirituelle que matérielle.

Koundalini existe sur tous les plans qui nous sont con-
nus; elle semble présenter également sept couches ou
degrés de puissance.

Le corps astral a été à l'origine une sorte de masse
à peu près inerte, n'ayant que la plus vague conscience,

sans aucune capacité définie d'action, et sans connaissance précise du monde ambiant. La première chose qui survint fut l'éveil de Koundalini dans l'homme sur le plan astral dans le centre correspondant à celui de la base de l'épine dorsale. Puis cette force passa au second centre, correspondant à l'ombilic, et le vivifia, éveillant ainsi dans le corps astral la faculté de sentir, d'être impressionné par toutes sortes d'influences, mais sans lui donner encore la compréhension précise.

Koundalini passa alors au troisième centre (splénique), au quatrième (cardiaque), au cinquième (gorge), au sixième (entre les sourcils) et au septième (haut de la tête) éveillant dans chacun les différentes facultés décrites dans les précédents chapitres.

Le mécanisme qui nous permet de devenir conscients de ce qui se passe sur l'astral est intéressant et mérite d'être bien compris par les étudiants. Dans le corps physique nous possédons des organes spéciaux dont chacun est localisé dans une région fixe et particulière, organes de la vue, de l'ouïe, etc., mais dans le corps astral règne une disposition tout autre, des organes spécialisés n'étant pas nécessaires pour atteindre le résultat voulu.

La matière du corps astral est en constante circulation; les particules, coulant et tourbillonnant comme celles de l'eau bouillante, toutes successivement passent par chacun des centres de force. Par conséquent, chacun d'eux à la faculté d'emprunter aux particules du corps astral la faculté de répondre à une certaine catégorie de vibrations, correspondant à ce que nous appelons dans le monde physique les vibrations de la lumière, du son, de la chaleur, etc. Quand donc les centres astrals sont vivifiés et en état de fonctionner, ils confèrent ces diverses facultés à toute la matière du corps astral, si bien que ce dernier devient capable d'exercer ses facultés en toute région de soi-même; c'est pourquoi un homme fonctionnant dans son corps astral peut voir aussi bien les objets placés devant lui que ceux placés derrière.

On ne peut donc assimiler les chak as ou cen res a des organes sensoriels, dans le sens ordinaire du terme, h en qu'ils donnent au corps astral les facultés sensorielles

La matière du corps astral est en constante circulation; les particules tourbillonnant comme celles de l'eau bouillante, toutes à leur tour passent par chacun des centres de force, de sorte que chaque centre éveille successivement dans toutes les particu es du corps, la faculté de répondre à une certaine série de vibrations, correspondant à ce que nous appelons dans le monde physique, vibrations de la lumière, du son, de la chaleur, etc. C'est pourquoi, quand les centres astraux sont éveillés et travaillent, ils transmettent ces différentes forces à toute la matière du corps astral, de telle sorte que celui-ci peut exercer ces forces dans toutes ses parties. Aussi l'homme conscient dans son corps astral voit-il également bien les objets placés derrière lui, au-dessous ou au-dessus de lui, sans avoir besoin de tourner la tête. On ne peut donc pas dire que ces chakras ou centres soient des organes, au sens ordinaire du terme, quoiqu'ils transmettent le pouvoir des sens au corps astral.

Cependant, même lorsque ces centres astrals sont éveillés pleinement, il ne s'ensuit nullement que l'homme puisse transmettre à son corps physique la moindre conscience de leur action. En réalité, dans sa conscience physique il peut très bien tout ignorer à leur sujet. La seule façon de transmettre au cerveau physique la conscience de ces expériences astrales est d'éveiller les centres éthériques correspondants et de les rendre actifs. Le résultat s'obtient exactement de la même manière que pour le corps astral, c'est-à-dire par l'éveil de Koundalini qui dort revêtu de matière éthérique dans le centre situé à la base de l'épine dorsale.

Cet éveil est obtenu par un effort de volonté résolu et prolongé qui rend actif le centre situé à la base de l'épine dorsale; c'est précisément, en somme, l'éveil de

Koundalini. Quand celle-ci est éveillée, c'est par sa formidable énergie que sont à leur tour éveillés les autres centres. L'effet produit sur les centres est de conférer à la conscience physique les facultés éveillées par le développement des centres astrals correspondants.

Mais, pour obtenir ces résultats, il est nécessaire que le feu-serpent passe de chakra en chakra dans un certain ordre et d'une certaine façon qui varie suivant les types humains.

Les occultistes qui connaissent ces choses par une expérience personnelle font extrêmement attention à ne pas donner d'indication quant à l'ordre dans lequel le feu-serpent doit passer à travers les centres. La raison en est qu'il y a de très sérieux dangers, dont il ne faut pas cacher la gravité, pour ceux qui veulent éveiller prématurément, ou éveillent accidentellement, Koundalini. Les avertissements les plus solennels sont adressés à qui songerait à rien tenter de ce genre avant le moment voulu, ou sans la direction d'un Maître ou d'un occultiste expérimenté.

Avant l'éveil de Koundalini, il est absolument essentiel que l'homme ait atteint un certain stade de pureté morale, et aussi que sa volonté soit assez forte pour dominer cette force. La plupart des dangers sont purement physiques. L'activité du feu-serpent, quand on ne sait pas la maîtriser, cause souvent d'intolérables douleurs physiques; elle peut facilement détruire des tissus et même le corps physique tout entier; il peut aussi léser d'une façon permanente, des corps plus élevés que le corps physique.

Un effet très fréquent de son éveil prématuré est qu'elle s'élance vers les régions inférieures au lieu de s'élever vers les parties supérieures du corps; elle excite ainsi les passions les moins désirables, les stimule et intensifie leurs effets à un tel point que l'homme ne peut leur résister, parce qu'il a éveillé une force dans l'étreinte de laquelle il est aussi impuissant qu'un nageur dans l mâchoir d'un requin. Ces hommes deviennent des satyres, des monstres de dépravation, parc qu'ils sont à la merci d'une force hors de proportion avec les facultés humaines de résistance.

De tels hommes acquerraient probablement certains pouvoirs supra-normaux, mais de nature à les mettre en contact avec des êtres inférieurs à l'humanité, celle-ci ne devant avoir avec eux aucun commerce, il leur faudra plus d'une incarnation pour échapper à leur empire. Il y a une école de magie noire qui, volontairement, utilise ainsi cette force, mais les adeptes de la Bonne Loi ou Magie Blanche ne font jamais le moindre usage des centres de force inférieurs employés par cette école.

Depuis, le développement prématuré de Koundalini intensifie tout dans la nature de l'homme et affecte les qualités inférieures et mauvaises plus que les bonnes. Dans le corps mental, par exemple, elle éveille très facilement l'ambition et bientôt la fait croître à un point excessif; une grande intensification de l'intelligence s'accompagne d'un orgueil anormal et satanique. Cette force de Koundalini n'est pas une force ordinaire, mais quelque chose d'irrésistible. Un ignorant a-t-il le malheur de l'éveiller, il devrait immédiatement consulter une personne compétente. Dans les termes du Hathayogapradipika, « elle apporte aux yoguis la libération et aux sots l'esclavage ».

Parfois le feu-serpent s'éveille spontanément; on éprouve alors une vague sensation de chaleur, et il peut même entrer en mouvement de lui-même, bien que cela soit assez rare. Dans ce dernier cas, il causerait probablement de vives douleurs, car les canaux n'étant pas préparés pour son passage, il lui faudrait frayer lui-même son chemin, en consumant une masse de déchets éthériques, ce qui cause naturellement beaucoup de souffrances. Dans de tels cas, la force se précipite de bas en haut, à l'intérieur de l'épine dorsale, au lieu de suivre la voie en spirale que l'occultiste apprend à lui ouvrir. Il faut, si possible, arrêter par un effort de volonté cette marche ascendante, mais si l'on n'y parvient pas, comme il est probable, le courant sortira sans doute par la tête et s'échappera dans l'atmosphère, sans autre conséquence fâcheuse qu'un léger affaiblissement ou, peut-être aussi, une perte momentanée de conscience. Toutefois, les dangers vraiment graves sont dus non au flux ascendant mais au flux descendant.

Comme nous l'avons déjà brièvement exposé, la principale fonction de Koundalini dans le développement occulte est de traverser les centres de force éthériques et, en les vivifiant, de leur permettre de communiquer à la conscience physique les expériences astrales. Ainsi *La Voix du Silence* enseigne qu'une semblable vivification du centre placé entre les sourcils permet d'entendre la voix du Maître, c'est-à-dire de l'Ego ou Moi supérieur. La raison en est que le corps pituitaire en pleine activité constitue un lien parfait entre les consciences astrale et physique.

Dans chaque incarnation il faut de nouveau maîtriser Koundalini, puisque dans chaque vie les véhicules sont nouveaux, mais si l'on y est parvenu entièrement une première fois, la répétition ne présente plus aucune difculté.

La formation du lien entre la conscience physique et celle de l'Ego a sa correspondance sur des niveaux supérieurs; c'est là, pour l'Ego, le rattachement à la Conscience de la Monade et, pour la Monade, le rattachement à la Conscience du Logos.

L'âge ne semble pas affecter le développement des chakras au moyen de Koundalini, mais la santé est indispensable, car un corps vigoureux peut seul endurer la tension.

CHAPITRE XIV

Le réseau bouddhique

[Voyez diagramme XIV]

Comme nous l'avons déjà vu, la relation entre les chakras du corps astral et ceux du double éthérique est fort étroite mais, entre ces deux catégories de centres et les interpénétrant d'une façon difficile à décrire, il existe un réseau ou enveloppe, d'une texture très serrée, formé d'une seule couche d'atomes physiques très com-

DIAGRAMME XIV

L'enveloppe atomique.

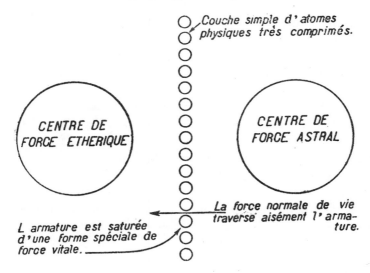

Fonction de l'enveloppe : Empêcher les influences astrales d'entrer prématurément dans la conscience physique.
Ce qui peut endommager l'enveloppe :

(1) Chocs émotionnels, *p. e.*, peur, angoisse.

(2) Alcool.

(3) Les narcotiques, *p. e.*, le tabac, etc.

primés et imprégnés d'une variété spéciale de prâna.
Le prâna passant normalement de l'astral au physique
est tel qu'il peut avec une facilité parfaite traverser
l'enveloppe atomique, mais celle-ci oppose une barrière
absolue à toute autre force incapable d'employer la matière atomique des deux plans.

L'enveloppe représente ainsi la protection fournie par
la nature afin d'empêcher toute communication préma-
turée entre les plans astral et physique.

Sans cette sage disposition toutes sortes d'expériences
astrales envahiraient la conscience physique où, pour la
plupart des hommes, elles ne pourraient présenter que
des inconvénients.

Une entité astrale pourrait, à chaque instant, dégager
des énergies qu'une personne ordinaire serait tout à
fait incapable d'affronter et que sa faiblesse l'empêche-
rait absolument de tenir en échec. L'homme serait ainsi
exposé à l'obsession de toute entité astrale qui voudrait
s'emparer de son véhicule.

L'enveloppe protectrice atomique est une garantie
efficace contre ces possibilités indésirables; dans les conditions normales, elle sert aussi à empêcher le souvenir
précis de nos activités pendant le sommeil du corps, de
passer dans la conscience du cerveau physique; elle
explique aussi l'intervalle d'inconscience qui toujours
accompagne la mort. Il peut arriver qu'à son retour
le corps astral réussisse à faire une impression momentanée sur le double éthérique et sur le corps dense, de
telle sorte qu'au moment où celui-ci se réveille, il y ait
un bref mais clair souvenir. En général, le souvenir s'ef-
face rapidement; plus l'homme s'efforce de le retenir
moins il y parvient, car chaque effort éveille dans le cerveau physique des vibrations qui tendent à vaincre les
vibrations astrales plus subtiles.

Il est donc évident que toute lésion de l'enveloppe
protectrice est un grand malheur; elle peut se produire
de différentes façons. Toute émotion violente, ou d'un

caractère mauvais, donnant lieu dans le corps astral à
une sorte d'explosion, peut produire une lésion en déchi-
rant le délicat réseau. Alors, comme nous disons,
l'homme devient fou. Une frayeur extrême, un accès de
colère peuvent produire un effet semblable.

Les séances de « développement », comme les nomment les spirites, peuvent également détériorer le réseau
et ouvrir des portes que la nature entend laisser fer-
mées.

Certaines drogues ou boissons, notamment l'alcool,
tous les narcotiques, y compris le tabac, contiennent une
matière qui, en se désagrégeant, se volatilise, et dont
une partie passe du plan physique à l'astral. Les personnes qui ont étudié les questions diététiques, surtout
celles qui ont étudié les effets des toxines, apprendront
avec intérêt que même le thé et le café renferment ce
genre de substance, mais en si faible quantité qu'il faudrait en abuser très longtemps avant que l'effet se mani-
festât. Quand celui-ci se produit, les éléments en question se précipitent à travers les chakras dans une direction contraire à celle qu'elles doivent prendre; à force
de suivre ce chemin, elles déchirent et finalement dé-
truisent le subtil réseau.

Cette détérioration ou destruction peut être amenée
de deux façons différentes, selon le type de la personne
et la proportion des éléments qui constituent son corps
éthérique et son corps astral. En premier lieu, l'afflux
de la matière qui se volatilise brûle littéralement le
réseau et supprime ainsi la barrière élevée par la nature.

En second lieu, ces éléments volatils durcissent l'atome,
tout en gênant et en paralysant ses pulsations, si bien
qu'il ne peut plus contenir la forme spéciale de prâna
qui l'attache au réseau. Celui-ci s'ossifie alors, pour
ainsi dire. Conséquence : la transmission d'un plan à
l'autre qui était exagérée, devient absolument insuffi-
sante.

Ces deux types de lésion sont facilement reconnaissables. Dans le premier, se produisent des cas de *deli-rium tremens,* d'obsession, de certaines formes d'aliénation mentale. Dans le second, qui est de beaucoup le plus fréquent, nous constatons une sorte d'affaiblissement général des qualités et sentiments supérieurs, qui entraîne le matérialisme, la brutalité, l'animalité et la perte de l'empire sur soi-même. Il est reconnu que les personnes qui font un usage excessif des narcotiques, comme le tabac, persistent souvent dans cette habitude, même lorsqu'elles savent très bien que leurs voisins en sont incommodés, tant le tact des fumeurs a été émoussé !

La conscience de l'homme ordinaire ne peut encore employer la matière atomique pure, ni dans le corps physique, ni dans le corps astral; normalement il lui est donc impossible de communiquer consciemment et à volonté entre les deux plans. La vraie manière d'y parvenir est de purifier les deux véhicules jusqu'à ce que la matière atomique étant complètement vitalisée dans chacun, toutes les communications puissent emprunter cette route. Dans ce cas le réseau conserve au plus haut point sa position et son activité sans faire désormais obstacle à une communication parfaite; en même temps il continue à jouer son rôle particulier, celui d'empêcher tout contact étroit entre des sous-plans inférieurs qui ouvriraient le passage à toutes sortes d'influences indésirables.

Il n'y a donc, pour les véritables étudiants en occultisme, qu'une seule méthode : ne forcer en rien le développement des facultés psychiques mais attendre le moment où elles se manifesteront tout naturellement, au cours de l'évolution naturelle. L'étudiant recueille ainsi tous les avantages en évitant tous les dangers.

CHAPITRE XV

La naissance

Nous passerons maintenant avec avantage à l'étude du double éthérique, en ce qui concerne la naissance et la mort du corps physique.

Le lecteur qui a étudié le mécanisme de la réincarnation sait que, dans le cas du corps éthérique, il existe un facteur qui n'agissait pas dans le cas du corps astral ou mental. De fait, le double éthérique est formé d'avance, pour l'Ego qui va l'occuper, par un élémental qui est la forme-pensée commune des quatre Dévarajas, dont chacun gouverne l'un des quatre sous-plans éthériques de la matière physique. Le premier soin de cet élémental constructeur est de former le monde éthérique dans lequel vont entrer les particules physiques du nouveau corps d'enfant.

La forme et la couleur de cet élémental varient suivant les cas. Il exprime d'abord la forme et la dimension du corps qu'il doit construire. En voyant cette sorte de petite poupée d'abord autour, puis à l'intérieur du corps de la mère, les clairvoyants l'ont quelquefois pris par erreur pour l'âme de l'enfant : c'est en réalité le moule de son corps physique.

Dès que le fœtus, ayant complètement rempli le moule, est prêt à naître, commence le développement d'une nouvelle forme présentant les dimensions, le type et les conditions du corps tel qu'il sera au moment où l'élémental le quittera, sa tâche accomplie. Après le départ de l'élémental, toute croissance ultérieure du corps est soumise au contrôle de l'Ego lui-même.

Dans les deux cas, l'élémental s'emploie lui-même comme moule; ses couleurs représentent, dans une grande mesure, les qualités exigées par le corps à construire; sa propre forme est aussi, en général, celle qu'il lui destine. Dès que le travail est terminé, l'énergie qui maintenait la cohésion de ses molécules étant épuisée, l'élémental se désagrège.

Pour déterminer la qualité de matière éthérique à faire entrer dans la constitution du corps éthérique, deux points sont à considérer : d'abord le type de matière envisagé au point de vue des Sept Rayons (divisions *verticales*); ensuite, la qualité de la matière envisagée au point de vue de sa finesse ou de sa grossièreté (divisions *horizontales*). Le premier type, celui du rayon, est déterminé par l'atome permanent physique dans lequel sont imprimés le type et le sous-type; le second est déterminé par le Karma généré dans le passé, l'élémental constructeur étant chargé de produire le genre de corps physique approprié aux besoins de l'homme. En somme l'élémental représente la portion du Karma (*prârabda*) individuel qui doit s'exprimer dans le corps physique. De la sélection opérée par l'élémental constructeur dépendent par exemple l'intelligence naturelle ou la stupidité, la placidité ou l'irritabilité, l'énergie ou l'indolence, la sensibilité ou l'inertie du corps. Les potentialités héréditaires sont latentes dans l'ovule maternel et le spermatozoaire paternel; l'élémental leur emprunte les éléments dont il a besoin.

Bien que l'élémental soit, dès le commencement, chargé du corps à construire, l'Ego n'entre en rapport avec sa future habitation que plus tard, un peu avant la naissance physique. Si les caractéristiques à donner, imposées à l'élémental, sont peu nombreuses, celui-ci peut se retirer assez tôt, en laissant l'Ego en pleine possession de son corps. Par contre, s'il faut longtemps pour développer les limitations exigées, l'élémental peut demeurer jusqu'à la septième année du corps physique.

La matière éthérique pour le corps de l'enfant est empruntée au corps de la mère; d'où l'importance, pour celle-ci, de n'assimiler que les éléments les plus purs.

A moins que l'élémental ne soit chargé d'obtenir un résultat spécial, tel que beauté exceptionnelle, ou le contraire, le rôle principal reviendra aux pensées de la mère et aux formes-pensées qui flottent autour d'elle.

Le nouveau corps astral est mis très tôt en rapport avec le double éthérique; il exerce sur sa formation une grande influence; par lui aussi le corps mental agit sur le système nerveux.

CHAPITRE XVI

La mort

Comme nous l'avons noté, le double éthérique peut dans certaines conditions être séparé du corps dense mais en lui restant relié par un fil ou cordon de matière éthérique. Au moment du décès, le double se retire définitivement du corps dense; il est parfois visible comme un brouillard violet; celui-ci, en se condensant, offre une forme reproduisant exactement l'apparence du mourant et qu'un fil brillant relie au corps dense. A l'instant de la mort, ce fil ou cordon magnétique se rompt.

En se dégageant, quand survient la mort, de la matière dense physique, le réseau bouddhique, accompagné du prâna se retire dans le cœur autour de l'atome permanent. L'atome, le réseau et le prâna s'élevant alors par le Soushoumna-nadi secondaire, atteignent le troisième ventricule du cerveau, puis le point de jonction entre les sutures pariétale et occipitale; finalement ils abandonnent le corps. Le réseau vital continue à envelopper l'atome permanent physique dans le corps causal, en attendant le jour où devra être formé un nouveau corps physique.

La retraite du double éthérique, accompagné, bien entendu, du prâna, détruit l'unité intégrale du corps physique : dès lors, celui-ci ne représente plus qu'une masse de cellules indépendantes. La vie de ces dernières ne subit aucune interruption, la preuve en est donnée par le fait bien connu que sur un cadavre les poils continuent parfois à pousser.

Dès que, le double éthérique s'étant retiré, le prâna cesse de circuler, les vies inférieures, c'est-à-dire les cellules, s'émancipent et commencent à désagréger le corps jusqu'alors bien organisé. Au moment de la mort, le corps est donc plus vivant qu'il n'a jamais été mais, vivant dans ses unités, il est mort dans son ensemble; il est vivant comme agrégat, mort comme organisme. Dans les termes d'Eliphas Lévi : « Le corps ne se décomposerait pas s'il était mort; toutes les molécules qui le composent sont vivantes et luttent pour se séparer ». (*Isis dévoilée*, II, Pag. 267.) (1).

Quand le double quitte définitivement le corps dense, il ne s'en éloigne guère et en général demeure flottant au-dessus de lui; il constitue alors ce que l'on appelle le spectre et apparaît quelquefois aux personnes qui lui tiennent de près comme une figure nuageuse, à peine consciente et muette. A moins d'être troublé par un désespoir bruyant ou de violentes émotions, l'état de conscience est paisible et tient du rêve.

Pendant la retraite du double et dans les moments qui suivent, l'Ego passe rapidement en revue l'ensemble de l'existence écoulée; le plus petit recoin de la mémoire restitue ses secrets, tous ses tableaux, tous ses événements. Durant ces quelques secondes, l'Ego revit toute son existence, constate ses succès et ses défaillances, ses amours et ses haines; il perçoit la tendance qui prédomine dans l'ensemble et, en s'affirmant, la pensée maîtresse de sa vie détermine la région où se passera la majeure partie de l'existence posthume. Comme le dit le *Kaushitakopanishat*, Prâna, à l'heure de la mort, ramasse tout et, se retirant du corps, transmet tout à celui qui Sait et qui est le réceptacle de tout.

A ce stage succède généralement une courte phase de paisible inconscience, due au départ de la matière éthérique et à ses attaches avec le corps astral : l'homme ne peut donc fonctionner ni dans le monde physique, ni dans le monde astral. Certaines personnes se libèrent de l'enveloppe éthérique en peu d'instants; d'autres reposent en elle pendant des heures, des jours ou même

---

(1) Edition française (N. du T.)

des semaines; en général il ne s'agit que de quelques heures.

Avec le temps, les principes supérieurs se dégagent peu à peu du double et celui-ci devient à son tour un cadavre éthérique qui reste à proximité du corps dense; leur désintégration est alors simultanée. Ces spectres éthériques se voient fréquemment dans les cimetières, tantôt comme des brouillards, tantôt comme des lueurs, violet ou blanc bleuâtre; ils présentent souvent un aspect pénible à cause de leur état de décomposition plus ou moins avancé.

L'un des grands avantages de l'incinération c'est que la destruction du corps dense physique enlève du même coup au corps éthérique son centre d'attraction et assure sa décomposition rapide.

Un homme est-il assez insensé pour se cramponner à la vie physique et même à son propre cadavre, la conservation de ce dernier, soit par ensevelissement, soit par embaumement, constitue pour lui une grande tentation et facilite énormément ses déplorables intentions. La crémation empêche absolument toute tentative de réunir les principes d'une façon partielle, anormale et temporaire. De plus, certaines formes répugnantes de magie noire, rares heureusement au moins en Occident, font usage du corps physique en voie de décomposition. Tout cela est rendu impossible par la pratique hygiénique de l'incinération. Il est absolument impossible aussi que le défunt sente l'action du feu sur son corps abandonné car, si la mort est bien effective, les matières astrale et éthérique ont été complètement séparées du corps dense physique.

Il est tout à fait impossible pour un défunt de réintégrer complètement son cadavre; cependant, s'il s'agit d'une personne pour qui la vie purement physique est tout et qui s'affole à l'idée d'en être complètement séparée, ses efforts frénétiques pour rester en contact avec l'existence physique peuvent lui permettre de s'emparer de la matière éthérique du corps abandonné et de s'en revêtir encore. Ceci peut causer des souffrances extrêmes, tout à fait inutiles, et faciles à éviter grâce à la crémation.

En ce qui concerne les personnes qui se cramponnent avec désespoir à l'existence physique, le corps astral ne pouvant se séparer entièrement du corps éthérique, elles se réveillent encore entourées de matière éthérique; leur état est alors très pénible car elles sont exclues du monde astral par l'enveloppe de matière éthérique, et en même temps la perte des organes sensoriels physiques les empêche de retrouver pleinement l'existence terrestre; en conséquence, elles errent, solitaires, muettes, terrifiées, dans une brume épaisse et lugubre, sans relation possible avec aucun des deux plans.

Avec le temps, et malgré leurs efforts, la coque éthérique s'use, mais en général pas assez tôt pour leur épargner des souffrances affreuses. Des personnes charitables parmi les trépassés et d'autres encore, s'efforcent d'assister ces malheureux, mais elles y parviennent rarement.

Dans ces conditions, une personne peut essayer de se remettre en rapport avec le plan physique, en se servant d'un médium, bien qu'en général les « esprits-guides » du médium s'y opposent de tout leur pouvoir, sachant qu'il s'expose à l'obsession ou à la folie. Parfois un médium inconscient, généralement une jeune fille sensitive, peut se trouver saisi, mais la tentative ne réussit que dans le cas où l'Ego de la jeune fille, en se laissant aller à des pensées ou à des passions mauvaises, a perdu de son empire sur ses véhicules. Parfois encore, une âme humaine errant dans ce monde incolore, peut arriver à obséder partiellement un animal, choisi en général parmi les moins développés — bêtes à cornes, moutons ou porcs — bien que les chats, les chiens ou les singes puissent également être employés. Il semble que ceci remplace dans les temps modernes, c'est-à-dire dans la Cinquième Race, l'affreuse existence des vampires constatée parmi les populations de la Quatrième Race. L'association avec un animal ne permet au défunt de se libérer que petit à petit et au prix d'efforts considérables, soutenus, sans doute pendant bien des jours. La délivrance ne succède en général qu'à la mort de l'animal; encore reste-t-il à se séparer de l'astral.

CHAPITRE XVII

Guérisons

Comme nous l'avons déjà noté, un homme de santé robuste émet sans cesse des émanations vitales susceptibles d'être absorbées par d'autres personnes, dont la vigueur se trouve ainsi accrue; ces émanations peuvent encore guérir de petites maladies, ou tout au moins favoriser le rétablissement.

Mais, comme les courants prâniques peuvent être soumis à la volonté, il est possible à un homme de diriger consciemment les flux de vitalité qui prennent en lui leur source, et aussi d'en augmenter beaucoup l'abondance. En les dirigeant vers un patient affaibli parce que sa rate ne fonctionne pas convenablement, il est possible de seconder efficacement son rétablissement; la vitalité additionnelle communiquée par le guérisseur maintient alors en fonction le mécanisme physique du malade jusqu'à ce que ce dernier soit assez rétabli pour spécialiser le prâna dont il a besoin.

La guérison des gens débiles par les gens vigoureux peut donc être déterminée, dans certains cas, par la simple proximité physique; le phénomène peut être soit entièrement inconscient et automatique, soit secondé et accéléré d'une façon presque illimitée par un effort conscient. On peut souvent faire beaucoup de bien rien qu'en déversant dans le patient de copieux courants de vitalité qui viennent inonder l'organisme. L'opérateur peut encore les diriger vers telle région mal portante. La simple augmentation de la circulation prânique suffit à guérir bien des affections peu graves. Les maladies nerveuses dénotent toujours un déséquilibre du double éthérique; les troubles digestifs et l'insomnie n'ont pas d'autre origine. Les maux de tête sont habituellement causés par un état congestif soit du sang, soit du fluide vital appelé parfois magnétisme. Un courant abondant déversé par le guérisseur dans la tête du patient, en emportant avec soi la matière congestionnée supprime la migraine.

Ces méthodes sont relativement simples et d'application assez facile, bien qu'un guérisseur habile, surtout s'il est clairvoyant, puisse accroître énormément leur efficacité. Un perfectionnement de ce genre, exigeant certaines connaissances en anatomie et en physiologie, consiste à former un tableau mental de l'organe malade, puis à l'imaginer dans son état sain et normal. La pensée puissante modèle la matière éthérique et lui donne la forme voulue qui aidera la nature à construire de nouveaux tissus beaucoup plus vite qu'elle ne l'eût fait autrement.

Une méthode plus effiace encore consiste à créer l'organe en matière mentale, puis de l'incorporer dans la matière astrale; puis de la densifier au moyen de la matière éthérique; enfin de remplir le moule d'éléments gazeux, liquides et solides, en utilisant les matériaux disponibles dans le corps et en empruntant au dehors ce qui manquerait.

Voici une manière pratique et efficace d'entreprendre une guérison par le magnétisme : le patient ayant pris une position confortable, assise ou couchée, on lui recommande de bannir autant que possible toute tension musculaire; il a tout avantage à s'installer dans un fauteuil muni de bras solides et plats; l'opérateur, s'asseyant de côté, sur les bras, se trouve légèrement plus haut que le patient. Avec les mains l'opérateur commence alors à faire des passes sur le corps du malade ou sur la région qu'il se propose de magnétiser, et fait un effort de volonté afin de retirer du corps la matière éthérique congestionnée ou altérée. Ces passes peuvent être exécutées sans toucher le sujet bien qu'il y ait avantage à poser la main entière, doucement et légèrement sur la peau. Après chaque passe, l'opérateur doit avoir soin de rejeter au loin la matière éthérique ainsi extraite, sans quoi il pourrait en garder en soi-même et bientôt souffrir personnellement du mal dont il a délivré son patient. Ceci a été souvent constaté. Par exemple, un opérateur, après avoir supprimé la douleur dans une dent ou dans un coude, ne tarde pas à éprouver la même douleur dans la dent ou dans le coude correspondants. Dans certains cas, quand il s'agit de traitements successifs, l'opérateur qui néglige de rejeter la matière éthérique extraite peut tomber sérieusement malade et même s'exposer à des souffrances chroniques.

A. P. Sinnett cite un cas intéressant, celui d'une dame qui, après avoir été guérie de rhumatisme chronique, se fixa dans une région de l'Europe éloignée de celle où habitait le magnétiseur. Quatre ans plus tard l'opérateur mourut et, immédiatement l'affection rhumatismale se manifesta de nouveau avec son ancienne virulence. Dans ce cas, il semble que le magnétisme morbide enlevé au corps du patient par l'opérateur mais non détruit, soit resté pendant plusieurs années à proximité de l'aura de l'opérateur et qu'à sa mort, il soit retourné à son ancien centre.

Il suffit en général, de secouer vivement les mains vers le sol, en les éloignant de soi. Le magnétisme peut encore être jeté dans une cuvette remplie d'eau en ayant soin, naturellement, de vider ensuite son contenu. On se trouvera bien, après cette première partie du traitement, de se laver les mains avant de passer à la suivante, qui est d'ailleurs la plus positive.

Il est possible, dit-on, de diriger le magnétisme malsain vers certaines catégories d'élémentals qui en disposeront. La parabole biblique du troupeau de pourceaux est peut-être une description allégorique de tout cela.

Il vaut certainement mieux, croyons-nous, procéder ainsi, que de laisser le magnétisme malsain près de l'aura du guérisseur ou d'autres personnes qui se trouveraient dans le voisinage.

Un lé ère variante, particulièrement utile dans les cas de congestion locale, consis e à placer les mains de chaque côté de la région malade et de faire passer de la main droite vers la main gauche un courant de magnétisme purifiant : celui-ci expulse alors la matière congestionnée.

Après cette préparation, il s'agit de déverser dans le patient notre fluide magnétique et notre prâna personnels. Ceci peut se faire, comme auparavant, au moyen de longues passes au-dessus du corps entier, ou de passes plus courtes sur une région spéciale. On peut encore employer les deux mains, en faisant passer le courant de la main droite à la main gauche, à travers l'espace traité.

L'étudiant comprendra sans peine combien il est désirable que le guérisseur soit lui-même en parfaite santé, sans quoi il risquerait de transmettre à son patient une partie de son propre magnétisme malsain.

Il faut noter que, dans les cures magnétiques, les vêtements, surtout si l'étoffe est de soie, forment obstacle au courant; le patient doit donc, suivant les circonstances, être aussi peu vêtu que possible.

Comme certaines formes d'aliénation sont dues à un cerveau éthérique mal constitué, dont les molécules ne correspondant pas absolument aux molécules denses physiques, sont incapables de transmettre les vibrations des véhicules supérieurs, nous pouvons supposer que des cas semblables se prêteraient à la cure magnétique.

Il y a, bien entendu, d'autres manières d'agir sur le corps éthérique, car les corps mental, astral et physique sont si étroitement associés que l'un d'eux peut très bien affecter les autres.

Généralement parlant, on peut dire que tout ce qui favorise la santé physique réagit en bien sur les véhicules supérieurs. Des muscles non exercés, par exemple, ont une tendance non seulement à dégénérer, mais encore à produire une congestion de magnétisme : ceci cause dans le double éthérique un point faible qui peut livrer passage à des germes fâcheux, tels que ceux d'une infection.

De même une mauvaise santé mentale ou astrale est à peu près certaine de se transformer tôt ou tard en maladie physique. Une personne qui sur l'astral est portée à « s'agiter », c'est-à-dire à gaspiller son énergie en émotions, soucis et tracas insignifiants, risque de troubler les corps astrals d'autres personnes sensitives; en outre et fréquemment, cette continuelle agitation astrale réagit par l'intermédiaire du corps éthérique sur le corps physique; c'est l'origine de toutes sortes de maladies nerveuses.

Toutes les affections spéciales aux nerfs, par exemple, ont directement pour cause les préoccupations et les émotions inutiles et disparaîtraient bien vite si l'on pouvait apprendre au patient à maintenir ses véhicules dans le calme et dans la paix.

La cure magnétique se confond presque imperceptiblement avec le mesmérisme que, par suite, nous allons maintenant examiner.

CHAPITRE XVIII

Le mesmérisme

L'étudiant doit bien comprendre la différence parfaitement nette et tranchée entre l'hypnotisme et le mesmérisme. Le premier, dont le nom dérive du mot grec *hupnos* signifiant sommeil, est littéralement l'art d'endormir; il résulte ordinairement d'une paralysie nerveuse causée par un léger effort imposé aux nerfs, oculaires ou autres; il ne constitue pas en soi-même un état malsain, bien qu'il puisse naturellement servir à des fins légitimes ou à des fins coupables; il rend souvent le sujet insensible à la souffrance et peut accorder ainsi au système un repos très salutaire; c'est, en principe, un état amené volontairement; il a pour effet le plus important de soumettre plus ou moins le sujet à la domination de l'opérateur. Dans certaines limites, variables suivant le tempérament et le caractère du sujet et le degré de l'hypnose, comme aussi la puissance et l'habileté de l'opérateur, celui-ci peut imposer sa volonté au patient.

Le mesmérisme repose sur un principe tout différent. Le mot dérive du nom de Frédéric Mesmer (1734-1815), médecin viennois qui, vers la fin du dix-huitième siècle, découvrit qu'il pouvait guérir des malades au moyen de certaines influences dégagées par la main et qu'il nomma « magnétisme animal ». Le mesmérisme consiste essentiellement en ce que l'opérateur chasse vers l'extérieur ou refoule le magnétisme (fluide vital) du patient et le remplace par son propre fluide. Résultat naturel : le patient perd toute sensibilité dans la région corporelle dont son fluide personnel a été expulsé. Nous avons déjà vu que la faculté de sentir a pour condition la transmission des contacts aux centres astrals par la matière du double éthérique; quand donc la matière éthérique est supprimée, la liaison entre le corps dense physique et le corps astral est interrompue; par conséquent, plus de sensation.

L'enlèvement du fluide vital n'a aucune action sur la circulation du sang, car la région intéressée conserve sa chaleur normale.

Chez un malade il est donc possible d'expulser sa propre matière éthérique, par exemple d'un bras ou d'une jambe, si bien que l'anesthésie complète du membre en résulte. L'action mesmérique étant en pareil cas purement locale, le patient conserve toute sa conscience cérébrale habituelle; un anesthésiant a été appliqué au membre en question : rien de plus. Cette anesthésie mesmérique a permis de faire des opérations chirurgicales, importantes ou non. L'énumération la plus connue de ce genre d'opérations se trouve dans un ouvrage intitulé : *Mesmerism in India,* publié d'abord en 1842 par le Dʳ Esdaile. Un autre chirurgien, le Dʳ Elliotson, fit aussi de nombreuses opérations, en employant l'anesthésie mesmérique, à Londres, il y a environ trois quarts de siècle. A cette époque, le chloroforme était inconnu et toute salle d'opération était une salle de tortures. On trouvera d'intéressantes relations de l'œuvre de ces deux novateurs dans *The Rationale of Mesmerism,* par A. P. Sinnett, ouvrage que nous recommandons vivement aux étudiants.

Le traitement mesmérique peut être poussé plus loin, jusqu'à expulser du cerveau le fluide magnétique appartenant au sujet et à le remplacer par celui de l'opérateur. Dans ce cas, le contrôle du corps échappe au sujet et passe à l'opérateur qui fait agir à volonté le corps du sujet.

Le remplacement du fluide magnétique du sujet par celui de l'opérateur entraîne une conséquence intéressante : un impact reçu par l'opérateur peut sembler ressenti par le sujet, ou par contre un impact reçu par le sujet peut être ressenti par l'opérateur.

Supposons par exemple, qu'un bras ait été mesmérisé et que le fluide magnétique du sujet soit remplacé par celui de l'opérateur. Si la main de ce dernier est piquée, le sujet peut le sentir parce que l'éther nerveux de l'opérateur a été relié au cerveau du sujet. Par suite le sujet, en recevant le message transmis par l'éther nerveux de l'opérateur, s'imagine qu'il lui est apporté par son propre éther nerveux et s'y conforme. Ce phénomène est habituellement nommé la sympathie magnétique; la littérature spéciale en cite bien des exemples.

Il n'est pas indispensable pour magnétiser de faire les passes avec les mains. Celles-ci ne servent qu'à concentrer le fluide et peut-être à aider l'imagination de l'opérateur, car tout ce qui la favorise fortifie la conviction, base principale de la pensée agissante. Un magnétiseur habile peut néanmoins agir sans faire aucune passe; pour obtenir les résultats cherchés, il lui suffit de regarder son sujet et de ˏvouloir.

Le mécanisme éthérique du corps semble présenter deux divisions distinctes, l'une inconsciente et reliée au grand sympathique, l'autre consciente ou volontaire et reliée au système cérébro-spinal; il semble aussi qu'il soit possible de magnétiser le premier, mais point le second. Un magnétiseur ne peut donc, en général, influencer chez le patient les fonctions vitales ordinaires, telles que la respiration ou la circulation du sang.

Voilà peut-être pourquoi *Theosophy* nous dit que, dans le corps physique, le prâna existe sous deux formes principales : dans le double éthérique c'est le prâna source d'énergie et dans le corps dense c'est le prâna automatique.

De même que pour les cures magnétiques il est, bien entendu, extrêmement désirable que l'opérateur soit physiquement en bonne santé. En effet, le guérisseur ou magnétiseur déverse dans le patient non seulement le prâna mais encore ses émanations personnelles, d'où la possibilité pour l'opérateur de communiquer au sujet un mal physique. De plus, comme les matières astrale et mentale passent également dans le sujet, les maladies morales et mentales peuvent, elles aussi, lui être transmises.

Pour des raisons analogues, un magnétiseur peut donc, même inconsciemment, prendre sur son sujet une grande influence — influence bien plus considérable qu'on ne le sait en général. Toute qualité du cœur ou de l'intelligence possédée par le magnétiseur est très facilement transmise au sujet : on voit immédiatement les dangers qui peuvent en résulter.

Le mesmérisme exclusivement appliqué aux guérisons par les personnes qui savent ce qu'elles font et jamais n'abuseraient de leur pouvoir, présente beaucoup d'avantages; a-t-il d'autres buts, il ne faut certainement pas en conseiller l'emploi.

Le mesmérisme possède un avantage sur la guérison par la volonté : quand les énergies de celle-ci sont déversées dans le corps physique, on court le risque de ramener la maladie dans les véhicules plus subtils d'où il procède, et ainsi d'empêcher l'aboutissement final sur le plan physique de maux qui ont leur origine dans le mental et dans les émotions. Le mesmérisme curatif ne présente pas ce danger.

Nous trouvons un intéressant exemple de guérison magnétique ou mesmérique dans la cérémonie bouddhique appelée Paritta ou Pirit (littéralement « bénédictions »). Les moines, assis en cercle ou au pourtour d'un carré, tiennent en leurs mains une corde de la force de celles dont on se sert pour sécher le linge, et d'où se détachent des ficelles qui trempent dans un grand bassin rempli d'eau. Des relais de moines récitent des textes sacrés sans interruption pendant bien des jours, en gardant nettement présente en leur mental l'intention de bénir. L'eau, après avoir été ainsi très fortement magnétisée, est distribuée aux assistants; un malade peut aussi tenir un fil relié à la corde.

Notons en passant qu'il est possible de magnétiser les plantes et de stimuler leur croissance d'une manière spécifique et précise. Très peu de gens sans doute le font consciemment, au moins en Occident, mais ce qui précède explique peut-être en partie le fait que certaines personnes ont « la main heureuse » dans la culture des plantes, des fleurs, etc. Ces phénomènes ont cependant une cause plus ordinaire : la composition des corps éthériques et autres et aussi l'affinité de la personne avec les élémentals; les plus amicaux à son égard sont ceux dont l'élément prédomine dans ses véhicules.

Les esprits de la nature ne possédant ni sentiment de la responsabilité ni volonté bien développés, se prêtent facilement, en général, à la domination magnétique et peuvent alors être employés de bien des façons pour accomplir la volonté du magicien; à la condition que les tâches qui leur sont imposées ne dépassent pas leurs facultés, elles seront exécutées fidèlement et sans faute.

Il est possible aussi de magnétiser des personnes récemment décédées et qui, dans leur corps astral, s'attardent parmi nous.

CHAPITRE XIX

Les coques et enveloppes défensives

Dans certaines circonstances, il est à la fois légitime et désirable de former en matière éthérique une coque ou enveloppe défensive, afin de se protéger, ou de protéger les autres, contre des influences désagréables de divers genres.

Une foule, par exemple, dégage presque toujours des émanations physiques sinon dangereuses, du moins pénibles pour un étudiant en occultisme. En outre, certaines personnes, manquant de vitalité, possèdent la faculté, en général à leur insu, de soutirer à leurs voisins leurs réserves de prâna. Si ces personnes, pareilles aux vampires, ne s'emparaient que des parcelles éthériques inutilisées, normalement expulsées du corps, il n'y aurait aucun inconvénient, mais la succion est souvent si intense que chez la victime toute la circulation du prâna s'en trouve accélérée, et que les parcelles roses sont dérobées avant que leur contenu prânique ne puisse être assimilé par leur possesseur. Un vampire avide peut ainsi, en quelques minutes, épuiser complètement sa victime.

Le vampire ne profite guère de la vitalité qu'il dérobe aux autres, parce que son propre système tend à la dissiper avant de l'avoir convenablement assimilée. Une personne semblable a besoin d'un traitement magnétique; il faut lui donner des quantités de prâna strictement limitées, jusqu'au moment où, son double éthérique ayant recouvré son élasticité, la succion comme les pertes se trouvent arrêtées. Les fuites de vitalité ont lieu plutôt par tous les pores que par une seule région.

Dans certains cas anormaux, une entité étrangère essaye de saisir et d'obséder les corps physiques d'autrui. Il peut encore être nécessaire de dormir, par exemple, dans un compartiment de chemin de fer, tout près de personnes du .ype va .ipire ou dont les émanations sont grossières et indésirables. Enfin, l'étudiant peut se trouver obligé de visiter des centres où règne la maladie.

Certaines personnes sont à ce point sensitives qu'elles arrivent à reproduire dans leur propre corps les symptômes d'autres personnes faibles et malades; il en est aussi qui souffrent beaucoup des incessantes et multiples vibrations toujours en jeu dans une ville bruyante.

Dans tous ces cas, une coque éthérique peut être utilisée avec avantage pour se protéger. Ne pas oublier cependant qu'une coque éthérique empêchant l'*entrée* de la matière éthérique en empêche aussi la *sortie* et que par suite nos propres émanations éthériques, dont beaucoup sont toxiques, demeureront enfermées dans la coque.

Celle-ci est formée par un effort de la volonté et de l'imagination. On peut y arriver de deux façons : ou bien en densifiant la périphérie de l'aura éthérique qui reproduit la forme du corps en un peu plus grand; ou bien en constituant, au moyen de matériaux empruntés à l'ambiance, une coque ovoïde de matière éthérique. La seconde méthode est préférable bien qu'elle exige un effort de volonté beaucoup plus intense et une connaissance plus complète de la façon dont la matière physique se trouve modelée par elle.

Les étudiants qui désirent protéger leurs corps physiques pendant le sommeil au moyen d'une coque éthérique, doivent avoir soin de la former en matière éthérique et non astrale. On cite le cas d'un étudiant qui commit cette erreur; en conséquence, le corps physique demeura sans aucune protection, tandis que son possesseur partait à la dérive dans une coque astrale impénétrable, empêchant absolument la conscience captive de rien recevoir du dehors ou de rien faire passer à l'extérieur.

La formation d'une enveloppe éthérique avant de s'endormir peut faciliter la transmission des expériences de l'Ego à la conscience de veille, en empêchant les pensées qui, toujours flottantes dans le monde éthérique, viennent sans cesse assaillir nos véhicules, de pénétrer dans le cerveau éthérique endormi et de s'y mêler aux pensées de ce même cerveau.

La partie éthérique du cerveau où l'imagination créative prend ses ébats joue dans les rêves un rôle actif, surtout dans ceux qui ont pour cause des impressions extérieures, ou toute pression interne subie par les vaisseaux cérébraux. Ses rêves ont en général un caractère dramatique, car il met en jeu tout ce qui est accumulé dans le cerveau physique; il arrange, dissocie et recombine ces éléments à sa fantaisie et forme ainsi le monde du rêve inférieur.

La meilleure manière de rester, pendant la veille, à l'abri de tout impact des pensées extérieures, est de maintenir le cerveau constamment occupé, au lieu de l'abandonner oisif, ce qui ouvre une large porte à des flots de pensées chaotiques.

Pendant le sommeil la partie éthérique du cerveau est naturellement bien plus à la merci des courants de pensées extérieures. Les moyens indiqués plus haut doivent permettre à l'étudiant d'éviter ces ennuis.

Dans certains cas il n'est pas nécessaire d'envelopper le corps tout entier; il suffit de constituer une petite armure locale pour se préserver d'un contact spécial.

C'est ainsi que certaines personnes sensitives ne peuvent, sans éprouver de vives souffrances, échanger des poignées de main. On peut dans ce cas former une enveloppe temporaire de matière éthérique par un effort de la volonté et de l'imagination; elle protégera complètement la main et le bras contre l'entrée de toute parcelle chargée de magnétisme indésirable.

Des enveloppes de ce genre peuvent protéger contre le feu; mais, pour cela, il faut avoir en magie pratique des connaissances beaucoup plus complètes. Ces enveloppes de matière éthérique dont la couche la plus mince se prête si bien à la manipulation qu'elle devient absolument impénétrable à la chaleur, peuvent être étendues sur les mains et sur les pieds, ou encore sur les pierres brûlantes ou autre substances employées dans les cérémonies encore en usage dans certaines parties du monde et dans lesquelles on marche sur le feu. On assiste parfois à ce phénomène dans les séances de spiritisme; les participants peuvent alors manier impunément des charbons incandescents.

Il va sans dire que les coques et enveloppes dont nous avons parlé, étant purement éthériques, ne donnent aucune protection contre les influences astrales ou mentales; il faudrait contre celles-ci des enveloppes formées de la matière spéciale à ces plans; mais nous n'avons pas à nous en occuper ici.

CHAPITRE XX

La médiumnité

Un médium est une personne anormalement organisée dont les corps éthérique et dense peuvent se séparer aisément. Le double éthérique expulsé fournit en grande partie aux « matérialisations » leur base physique.

Les formes ainsi matérialisées ne s'éloignent guère, en général, du médium, car leur matière constitutive est soumise à une attraction qui ne cesse de les ramener au corps dont elles procèdent; si bien que la figure, si elle reste trop longtemps éloignée du médium, s'effondre et la matière dont elle est faite retourne instantanément à sa source.

Les formes de ce genre ne peuvent subsister que quelques instants parmi les vibrations intenses d'une vive lumière.

L'état de médium est en somme dangereux et par bonheur relativement rare : il détermine beaucoup de tension et de troubles dans le système nerveux. Quand le double éthérique est expulsé, le double lui-même est déchiré en deux; il ne pourrait être entièrement séparé du corps dense sans que la mort en résultât, car la force vitale ou prâna ne peut circuler sans la présence de matière éthérique. Cette retraite partielle du double suffit pour plonger le corps dense dans un état léthargique et suspend presque les fonctions vitales; à cet état dangereux succède habituellement un épuisement extrême (voyez chap. I, p. 15).

L'effrayante déperdition de vitalité due à la suppression des moyens qui permettent au prâna de circuler, explique l'affaissement des médiums après une séance et aussi pourquoi tant de médiums finissent par tomber dans l'ivrognerie; ils demandent aux stimulants de satisfaire l'impérieux besoin d'énergie éveillé par leur affaiblissement soudain.

Sir William Crookes, à la page 41 de ses *Researches,* écrit ces lignes : « Après avoir constaté le pénible état de prostration nerveuse et corporelle dans lequel certaines de ces expériences ont mis Mr. Home, après l'avoir vu couché sur le parquet, presque évanoui, pâle et muet, comment douter que l'évolution de la force psychique soit accompagnée d'une déperdition correspondante de force vitale? »

La condition décrite ressemble au choc qui suit une opération chirurgicale.

Dans une séance spirite, un clairvoyant voit le double éthérique s'échappant en général du côté gauche du médium, mais parfois aussi de toute la surface du corps, et c'est ce double qui souvent constitue « l'esprit matérialisé », que modèlent facilement et de façons diverses les pensées des assistants, sa force et sa vitalité augmentant lorsque le médium est plongé dans une transe profonde. Habituellement aucun effort conscient dû aux assistants n'intervient; pourtant le résultat peut être méthodiquement obtenu. Ainsi H. P. Blavatsky rapporte que, pendant les phénomènes remarquables obtenus à la ferme Eddy, elle modela méthodiquement la forme « esprit » qui apparut sous des apparences diverses, vues par les assistants.

La matière éthérique modelée en formes de ce genre bien qu'invisible pour la vue ordinaire, peut néanmoins impressionner une plaque photographique, car celle-ci est sensible à certaines longueurs d'ondes lumineuses que ne perçoit pas l'œil humain. Voilà l'explication de tous les cas enregistrés où des « formes esprits » ont apparu sur le négatif d'un portrait photographique ordinaire.

Il arrive souvent au cours des séances que, si la matière du double éthérique du médium lui est empruntée, une certaine quantité de matière éthérique est également soustraite aux corps des assistants; d'où la fatigue souvent éprouvée par les habitués de ces séances.

Pour qu'une grande quantité de matière puisse être sans danger mortel retirée au corps physique, il faut des conditions de passivité absolue. Le médium, en général, reste bien conscient au fond, mais la moindre tentative d'affirmer l'individualité ou de penser d'une manière suivie affaiblit immédiatement la forme matérialisée ou la ramène à la « cabine ». Un choc ou trouble subit, toute tentative de saisir la « forme-esprit » sont extrêmement dangereux et peuvent même amener la mort.

Outre la matière éthérique, il arrive souvent qu'une certaine quantité de matière physique, principalement gazeuse et liquide, soit enlevée au corps du médium. On cite des cas où, pendant la matérialisation, le corps du médium perdit visiblement de son volume, tandis que l'aspect déprimé, ratatiné du visage présentait, dit-on, un spectacle singulièrement affreux et pénible. Placé sur une balance, le corps physique du médium accuse une diminution de poids pouvant aller jusqu'à quarante livres, tandis que le poids de la forme matérialisée accuse une augmentation au moins égale à cette quantité et généralement davantage, sans doute parce qu'une certaine quantité de matière dense a été retirée aux corps des assistants. Dans un cas bien connu une forme matérialisée porta le corps amoindri du médium, Mr. Eglinton.

Pour une entité astrale qui veut se « manifester » ou produire un phénomène quelconque sur le plan physique, un médium sert à fournir la matière éthérique indispensable; celle-ci agit comme intermédiaire pour amener les forces astrales dans la matière physique.

Il se passe quelque chose d'analogue quand un ivrogne décédé hante un cabaret et s'entoure d'un voile de matière éthérique pour absorber l'odeur de l'alcool dont il a tant besoin. Incapable de sentir l'alcool comme nous le sentons nous-mêmes, il pousse les autres à s'enivrer afin de pouvoir entrer partiellement dans leurs corps physiques, les obséder et ainsi de jouir directement, une fois encore, du goût et des autres sensations dont il éprouve l'ardent désir.

Quelquefois la matière prise au médium suffit exactement pour former une main éthérique ou même seulement des doigts pour tenir un crayon et écrire, ou pour permettre des « coups frappés », le renversement ou le déplacement d'objets, et ainsi de suite. En général c'est à la fois de la matière éthérique et de la matière dense physique dérobés au médium qui servent à recouvrir une forme astrale, juste assez pour rendre celle-ci visible aux assistants; la forme vue n'est donc pas solide mais simplement une mince pellicule.

Les draperies dont les « esprits », pendant les séances, sont ordinairement vêtus sont souvent fabriquées avec les vêtements du médium ou ceux d'un assistant. Tantôt le tissu est tout à fait grossier, tantôt d'une finesse extrême, plus fin même que ce que produisent les métiers orientaux. Il arrive que la draperie puisse être emportée; quelquefois elle se conserve pendant plusieurs années; ou bien encore elle disparaît soit au bout d'une heure ou deux, soit même en quelques minutes.

Il est indiscutable que, sauf peut-être dans des cas très rares et en prenant toutes les précautions possibles, les pratiques de la médiumnité sont malfaisantes et parfois excessivement dangereuses. Nous devons cependant reconnaître que par elles une foule de gens ont appris soit à connaître la réalité du monde invisible et la continuité de la vie après la mort, soit à y croire. D'autre part, on peut faire valoir que cette connaissance ou cette foi aurait pu s'acquérir par des moyens différents et moins malsains.

Jamais un occultiste expérimenté, appartenant à une école de « magie blanche », n'agirait sur le double éthérique de personne afin d'obtenir une matérialisation, pas plus qu'il ne jetterait le trouble dans le sien pour

se rendre visible à distance; il se bornerait à condenser
et à bâtir autour de son corps astral une quantité d'éther
ambiant suffisante pour permettre la matérialisation
puis, par un effort de volonté, de lui imposer cette forme,
aussi longtemps qu'il en aurait besoin.

La plupart des « guides-esprits » savent très bien les
dangers courus par leurs médiums et, pour protéger
ceux-ci, prennent toutes les précautions possibles. Les
« esprits » eux-mêmes ont parfois à souffrir quand, par
exemple, une forme matérialisée est frappée ou blessée,
à cause de l'association étroite qui s'établit entre la matière éthérique de la forme matérialisée et la matière
astrale appartenant au corps de « l'esprit ».

Il est vrai naturellement que nulle arme physique ne
peut affecter un corps astral, mais une lésion de la forme
matérialisée peut être transmise au corps astral par le
phénomène appelé « répercussion ».

Comme pendant une matérialisation les parcelles de
matière sont empruntées à tous les assistants aussi bien
qu'au médium, elles peuvent se trouver fort mélangées
et par conséquent des qualités indésirables ou des vices
existant dans un des assistants risquent de réagir sur
les autres et surtout sur le médium qui est de tous le
plus vulnérable et presque à coup sûr le plus sensitif.
La nicotine et l'intoxication par l'alcool semblent déterminer spécialement ces pénibles effets.

Les médiums de basse catégorie attirent inévitable-
ment les entités astrales les plus indésirables, qui peuvent renforcer leur propre vitalité aux dépens du médium et des assistants. Un « revenant » semblable peut
même s'attacher dans le cercle à toute personne peu
développée, avec les résultats les plus déplorables.

On cite des cas où une entité extérieure, incarnée ou
non, s'est emparée du corps d'un homme endormi et
s'en est servi dans un but personnel, peut-être de façon
somnambulique. C'est avec une personne présentant les
caractéristiques d'un médium que ce genre d'agression
serait le plus facile.

CHAPITRE XXI

L'œuvre du Dr. Walter J. Kilner

Dans un ouvrage intitulé *The Human Atmosphere* (1911), le Dr. W. G. Kilner expose les recherches qu'il a faites sur l'aura humaine au moyen d'écrans colorés. Les principes généraux et les découvertes du Dr. Kilner sont résumés dans le présent chapitre. Pour de plus amples détails, surtout pour la manière d'employer les écrans, nous renvoyons le lecteur à l'ouvrage en question.

Notons ce point intéressant : le Dr. Kilner affirme ne posséder à aucun degré la faculté de clairvoyance; il n'a même rien lu au sujet de l'aura avant d'avoir examiné plus de soixante malades; il soutient que ses méthodes sont purement physiques et peuvent être appliquées par toute personne consentant à se donner la peine nécessaire.

Les écrans sont des ampoules minces et aplaties contenant des couleurs de décyanine dissoutes dans de l'alcool. Diverses nuances sont employées en raison du but à atteindre, telles que le carmin foncé et clair, le bleu, le vert et le jaune.

L'opérateur regarde la lumière, pendant une minute ou davantage, à travers un écran foncé; regardant ensuite le patient à travers un écran de couleur claire, il arrive à percevoir l'aura. L'usage des écrans semble affecter la vue d'une façon d'abord temporaire puis permanente, si bien que l'opérateur finit par voir l'aura sans se servir des écrans. On conseille pourtant d'employer ceux-ci avec beaucoup de prudence, car les yeux tendent à devenir très douloureux.

Il faut se servir d'une lumière atténuée, diffuse, issue d'un seul point placé de préférence derrière l'observateur; elle suffit habituellement pour permettre de voir distinctement le corps. Un fond mat et noir est en général nécessaire, bien que, pour certaines observations, il en faille un blanc. La personne en observation doit être placée à environ 30 centimètres en avant du fond, afin d'éviter les ombres et autres illusions optiques.

Indépendamment des écrans colorés, le Dr. Kilner a employé une autre méthode ingénieuse pour étudier l'aura; il l'appelle la méthode des couleurs complémentaires. Sur une bande colorée, de 5 centimètres sur 2 centimètres, assez bien éclairée, l'observateur fixe ses regards pendant trente secondes au moins et soixante au plus; ceci a pour effet d'affaiblir dans l'œil la faculté de percevoir cette couleur particulière; en outre les yeux deviennent anormalement impressionnables à l'action des autres couleurs. Quand donc les regards sont reportés sur le patient, une bande ou bordure de la couleur complémentaire apparaît; elle est de la même grandeur et de la même forme que la bande précédente; ce « spectre » persiste quelque temps. Dans la pratique, on constate que les changements de couleur dans les auras ont pour effet de changer la couleur de la bande présentant le ton complémentaire. Par ces moyens mis habilement en œuvre, il est possible de constater relativement à l'aura beaucoup de faits qui, avec les écrans seuls, échapperaient à l'observation. Voici les couleurs employées par le Dr. Kilner :

1. Jaune de Cambodge; complémentaire bleu de Prusse.

2. Bleu d'Anvers; complémentaire jaune de Cambodge.

3. Carmin; complémentaire un vert d'émeraude transparent.

4. Vert émeraude; complémentaire carmin.

L'observation révèle que l'aura présente trois parties distinctes, appelées par le Dr. Kilner :

1. Le double éthérique.

2. L'aura interne.

3. L'aura externe.

Le *double éthérique* vu à travers les écrans a l'appa-rence d'une bande foncée en contact immédiat avec le corps dont il épouse exactement les contours; sa largeur est partout la même; elle est en général d'un millimètre 5 à 5 millimètres; elle varie suivant les personnes et aussi chez la même personne quand les conditions se trouvent modifiées; elle est tout à fait transpa-rente et nettement striée; des lignes très délicates d'un beau rose semblent teinter l'intervalle des stries. La couleur rose contient certainement plus de bleu que n'en contient le carmin. Il paraît probable que les lignes sont elles-mêmes lumineuses. Jusqu'à présent on n'a remarqué dans le double éthérique aucun attribut ou modification qui puisse aider la diagnose.

L'*aura interne* commence au bord extérieur du double éthérique, bien qu'elle semble souvent toucher le corps même. Elle présente généralement une largeur cons-tante de 50 à 100 millimètres, parfois un peu moins le long des membres, et suit les contours du corps; elle est relativement plus large chez les enfants que chez les adultes; sa structure est granuleuse; les granules sont excessivement fines et par leur disposition prennent une apparence striée. Les stries sont parallèles, normales à la surface du corps et en paquets, les plus longues au centre, les plus courtes à l'extérieur, le rebord est arrondi. Les paquets sont agglomérés, donnant ainsi à l'aura une silhouette échancrée. Aucune couleur n'a été observée dans les stries. En cas de maladie elles sont moins appa-rentes.

L'aura interne est la partie la plus dense de l'aura proprement dite; chez les personnes douées d'une santé robuste, elle est en général plus nettement marquée et plus large.

L'*aura externe* commence au bord extérieur de l'aura interne et, comme elle, varie beaucoup en importance.

Autour de la tête elle dépasse en général d'environ 25 millimètres le plan des épaules; sur les côtés et derrière le tronc, sa largeur est d'environ 10 à 12 centimètres, un peu moins en avant du corps; elle suit de près les contours de ce dernier; elle est parfois un peu plus étroite le long des membres. Autour des bras elle est la même qu'autour des jambes, mais elle est généralement plus large autour des mains et dépasse souvent de beaucoup l'extrémité des doigts. La silhouette n'est pas absolument nette mais se perd graduellement dans l'espace. L'aura externe semble amorphe et non-lumineuse. La partie intérieure de l'aura externe présente des granules plus grandes que celles des parties extérieures; les grandeurs diverses se fondent par degrés et imperceptiblement les unes dans les autres.

Jusqu'à l'âge de douze ou treize ans, les auras des enfants des deux sexes semblent pareilles, sauf que l'aura féminine est généralement d'une nature plus fine que l'aura masculine. A partir de l'adolescence les auras masculine et féminine peuvent se distinguer; l'une et l'autre cependant présentent de nombreuses particularités individuelles. L'aura féminine est généralement beaucoup plus large sur les côtés du corps; la largeur maxima se trouve à la taille; elle est aussi plus large derrière que devant; la partie la plus large se trouve à la chute des reins où souvent elle forme une convexité.

Le Dr. Kilner estime que la forme se rapprochant le plus de celle d'un œuf est la plus parfaite; les déviations sont dues à un développement insuffisant. On peut regarder la finesse et la transparence comme caractérisant un type supérieur d'aura.

Les enfants ont des auras dont la largeur, proportionnellement à leur hauteur est plus considérable que chez les adultes.

En outre les enfants, surtout les garçons, ont une aura interne presque aussi large que l'aura externe, si bien qu'il peut être difficile de les distinguer.

Les personnes intellectuelles possèdent en général des auras plus grandes que celles des personnes bornées; on le remarque spécialement autour de la tête. Plus l'aura est teintée de gris, plus l'individu est obtus ou de mentalité débile.

Un brouillard excessivement léger se distingue parfois, dépassant de beaucoup l'aura externe; il n'a été observé que chez les personnes dont l'aura est exceptionnellement étendue et semble être une continuation de l'aura externe. Le Dr. Kilner le nomme l'aura ultra-externe.

Des plaques, des rayons, des courants lumineux ont été observés; ils émanent de diverses parties du corps; quelquefois ils paraissent et disparaissent rapidement; quelquefois ils persistent. Les plaques semblent toujours incolores. Les rayons le sont en général, bien qu'ils présentent parfois certaines teintes. Dans ce dernier cas, l'aura devient habituellement plus dense. Il en existe trois variétés :

Première variété. — Rayons ou plaques, plus clairs que l'aura environnante, entièrement séparées du corps ils en sont néanmoins très rapprochés; ils apparaissent dans l'aura et sont enveloppés par elle. Dans leur forme la plus commune ils sont allongés; leurs axes longs sont parallèles au corps. Leurs côtés sont généralement nets et coïncident exactement avec le bord de l'aura interne, mais les extrémités, habituellement contractées et moins lumineuses, se confondent souvent avec l'aura voisine.

L'aura interne, généralement à l'intérieur du rayon mais pas toujours, perd son aspect strié et devient granuleux. Plus le rayon est persistant, plus les granules deviennent grossières.

Deuxième variété. — Rayons issus d'une région du corps et se dirigeant vers une autre assez rapprochée. Ces rayons sont généralement les plus brillants. On peut les voir allant, par exemple, du corps à un bras, ou, si le bras est replié, de l'aisselle au poignet.

Si l'obser.ateur met sa main près du patient, les auras des deux personnes deviennent presque toujours plus vives localement, et bientôt un rayon complet se forme entre la main et la région la plus voisine appartenant au patient. Les rayons de ce genre se forment plus aisément entre des points qu'entre des surfaces.

Dans un cas particulier, le rayon allant de la main d'une personne à la main d'une autre était jaune vif, passant au rubis.

Troisième variété. — Rayons projetés dans l'espace normalement à la surface du corps, plus vifs que l'aura externe, allant aussi loin ou même plus loin qu'elle; leurs bords sont généralement, mais pas toujours, parallèles et rarement en éventail; les extrémités deviennent aiguës et puis s'évanouissent, surtout quand elles sortent de l'extrémité des doigts.

Les rayons observés sont invariablement rectilignes Leur direction normale est perpendiculaire au corps, mais ils peuvent prendre n'importe quelle direction, comme par exemple lorsqu'elles vont du bout des doigts d'une personne à ceux d'une autre personne.

Outre la couleur ordinaire, bleu-gris, la présence du rouge et du jaune a été constatée dans certains rayons. Leur structure ressemble à celle de l'aura interne; de plus, on ne les a jamais vu diminuer ni la densité ni l'éclat de l'aura externe avoisinante; ces deux faits nous autorisent à conclure que rayons et aura interne ont pour commune origine le corps, et que par suite un rayon est simplement le prolongement d'un faisceau de strics appartenant à l'aura interne.

Le Dr. Kilner a constaté aussi que, dans des conditions similaires mais plus difficilement, il pouvait percevoir un brouillard ou aura bleuâtre enveloppant les aimants et surtout leurs pôles; une aura jaune autour d'un cristal de nitrate d'uranium; une aura bleuâtre autour des pôles de cellules galvaniques, autour d'un conducteur quelconque réunissant les pôles, enfin dans l'espace compris entre deux fils réunis chacun à l'un des pôles et réunis en même temps l'un à l'autre.

Des faits suivants : 1° que l'aura interne présente une organisation striée, alors que l'aura externe est tout à fait nébuleuse; 2° que l'aura interne est nettement délimitée, celle de l'aura l'étant très vaguement; 3° que le bord extérieur de l'aura interne est échancré sans que le bord de l'aura externe y corresponde en rien; 4° que des rayons émanent de l'aura interne, mais que jamais on n'a constaté ni leur origine dans l'aura externe ni leur passage à l'aura interne — le Dr. Kilner tire les conclusions suivantes : 1° que l'aura externe ne dérive probablement pas de l'aura interne; 2° que les deux auras n'ont probablement pas été produits par une seule et même force.

Le Dr. Kilner distingue donc : 1° la force aurique n° 1 (1 A. F.) qui fait naître l'aura interne; 2° la force aurique n° 2 (2 A. F.) qui produit l'aura externe.

1 A. F. semble agir avec une énergie extrême dans une région délimitée. Une augmentation locale de cette force permet de projeter des rayons consciemment, par un effort de volonté.

2 A. F. est plus mobile et son champ d'action est plus vaste que celui de 1 A. F.; elle semble tout à fait indépendante de la volonté.

Divers états de santé, généraux ou locaux, agissent sur ces forces et, par elles, sur les auras, mais pas nécessairement de la même façon sur les auras interne et externe.

Une affection locale peut faire disparaître toutes les stries de l'aura interne, qui devient alors plus opaque, plus dense et change de couleur; elle peut aussi présenter des rayures grossières, fort différentes des stries fines caractérisant l'état de santé normal; enfin elle peut former un espace privé d'aura interne.

Une affection intéressant une grande partie du corps peut rendre l'aura interne plus étroite d'un côté du corps u de at re, e même emps, la texture de l'aura interne, et souvert aussi sa couleur, se trouvent modifiées.

Les variations de l'aura externe, dues à 2 A. F., sont moindres que celles de l'aura interne. La largeur peut diminuer mais ne disparaît jamais tout à fait; la couleur aussi peut changer. Un changement subi par une grande partie du corps peut entièrement modifier la forme de l'aura externe. Celle-ci peut devenir plus étroite sans que l'aura interne en soit impressionnée, mais si l'aura interne se rétrécit, l'aura extérieure fait de même.

Les changements dans les auras peuvent être causés par la maladie. Dans l'hystérie l'aura externe est plus large aux côtés du tronc; sa largeur se contracte subitement près du pubis; une convexité se présente dans la région lombaire.

Dans l'épilepsie, un des côtés tant de l'aura interne que de l'externe, est généralement contracté, et cela sur toute sa longueur; l'aura interne devient plus opaque, la texture est plus grossière et les stries diminuent ou disparaissent. La couleur est généralement grise.

Une contraction de l'aura interne dénote invariablement une maladie grave. On observe quelquefois dans l'aura une véritable rupture.

L'aura interne ne change guère de forme ni de grandeur, mais sa texture change beaucoup. L'aura externe varie, plus souvent et d'une façon plus marquée, dans sa forme et dans sa grandeur, mais presque imperceptiblement dans sa texture.

En cas de maladie le premier symptôme morbide est la diminution ou la disparition complète des stries; de plus les granules s'épaississent, apparemment parce que les granules plus petits s'agglomèrent.

Tout désordre de l'aura interne est accompagné d'un désordre correspondant de l'aura externe.

La préparation de l'œil au moyen des écrans rend difficile l'appréciation exacte des variations de couleur dans l'aura. Il semble que la gamme des tons aille du bleu au gris et que la couleur dépende plus du tempérament et des facultés mentales que des altérations dans la santé physique. Plus l'énergie mentale est grande et plus l'aura bleuit. Le manque d'énergie mentale se traduit dans l'aura par le gris.

Certaines expériences faites par le Dr Kilner ont prouvé non seulement que les rayons pouvaient être émis de différentes régions du corps par un effort de la volonté, mais aussi qu'un effort de la volonté pouvait faire varier la couleur d'un rayon ou une partie de l'aura. Le rouge, le jaune et le bleu ont été produits de cette façon. C'est le bleu le plus facile et le jaune le plus difficile à produire.

Une étude attentive des résultats obtenus par le Dr Kilner révèle qu'ils s'accordent assez exactement avec les résultats donnés par la clairvoyance. Le Dr Kilner paraît cependant avoir étudié plus minutieusement, à certains égards, la structure de l'aura et ses effets sur la maladie.

Ce que le Dr Kilner nomme le double éthérique est évidemment identique à ce que les clairvoyants décrivent sous cette même appellation. Les stries de l'aura interne du Dr Kilner sont clairement identiques à l'aura de santé (voy. Chap. IV, p. 44). Ce que le Dr Kilner nomme l'aura externe est formé, croyons-nous, par des particules éthériques vidées de leur prâna et aussi par d'autre matière éthérique expulsée du corps (voy. Chap. XI, Décharges). L'étudiant fera bien de comparer les progrès d'auras donnés dans l'ouvrage du Dr Kilner, avec la pl. XXIV de l'aura de santé dans *L'Homme visible et invisible*.

Il est légitime de croire que, si les méthodes du Dr Kilner sont perfectionnées, elles permettront de percevoir physiquement : 1° les chakras éthériques; 2° la manière dont le prâna pénètre dans le corps et y circule; 3° la nature et la structure du double éthérique *à l'in-*

térieur du corps. Le Dᵣ Kilner ayant mentionné la difficulté de percevoir l'aura sur un fond de muscles, nous nous sommes demandé s'il ne serait pas possible d'obtenir un fond convenable en colorant d'une façon quelconque la peau de la personne observée.

Le Dᵣ Kilner ajoute que le seul but de ses recherches fut d'utiliser l'aura comme moyen de diagnose. Il est donc plus que probable que, poussées plus loin, elles révéleraient des propriétés de l'aura qui, pour être sans utilité diagnostique, présenteraient néanmons un intérêt scientifique.

Les faits observés — (1° qu'une mauvaise santé trouble l'aura; 2° que la matière éthérique d'auras voisines se réunit et forme des rayons; 3° que ces rayons peuvent être formés et dirigés par un effort de la volonté; 4° que de la volonté dépend même la couleur des rayons) — semblent tenir de très près à la question des guérisons magnétiques ou mesmériques. Espérons qu'un investigateur entreprendra l'étude de ce sujet important et intéressant avec la conscience qui caractérise les recherches du Dᵣ Kilner.

CHAPITRE XXII

Les facultés éthériques

Les facultés éthériques sont les extensions des sens physiques ordinaires, elles permettent à leur possesseur de percevoir des « vibrations » appartenant à la partie éthérique du plan physique. Ces impressions sont reçues par la rétine de l'œil en affectant, bien entendu, sa matière éthérique.

Dans certains cas anormaux, d'autres régions du corps éthérique peuvent répondre aux vibrations aussi facilement ou même plus facilement que l'œil. Ceci est dû en général à un développement astral partiel, les surfaces sensitives du double éthérique correspondant presque toujours, d'ailleurs, aux chakras astrals.

En résumé, il existe deux genres de clairvoyance, l'inférieure et la supérieure. L'inférieure se manifeste sporadiquement dans les populations non développées telles que les sauvages de l'Afrique centrale; c'est une sorte de sensation massive appartenant vaguement à l'ensemble du corps éthérique, plutôt qu'une perception sensorielle proprement dite communiquée par un organe spécialisé; elle échappe à peu près complètement au contrôle de l'homme. Le double éthérique est en relation excessivement étroite avec le système nerveux; toute action exercée sur l'un réagit très vite sur l'autre. Dans la clairvoyance inférieure le trouble nerveux correspondant affecte presque entièrement le système sympathique.

Dans les races plus développées la vague sensitivité disparaît en général à mesure que les facultés mentales s'épanouissent. Plus tard, quand l'homme spirituel commence à se développer, il retrouve la faculté de clairvoyance mais, cette fois, la faculté est précise et exacte, soumise à la volonté et s'exerce par un des organes sensoriels. Toute action nerveuse appartient presque exclusivement au système cérébro-spinal.

Les formes inférieures de psychisme se rencontrent le plus souvent chez les animaux et chez les hommes très peu intelligents. Le psychisme hystérique et mal réglé est dû au manque de développement du cerveau et à la prédominance du système grand sympathique; comme les grandes cellules ganglionnaires de ce système contiennent une très forte proportion de matière éthérique, elles sont facilement affectées par les grosses vibrations astrales.

La vision éthérique peut se trouver temporairement stimulée, par exemple par le *delirium tremens;* l'homme qui en souffre peut voir des êtres éthériques (aussi bien qu'astrals); les serpents et autres horreurs vus dans des cas semblables sont presque toujours des créatures d'un type très bas qui absorbent avec délices les relents alcooliques issus du corps de l'ivrogne.

On doit noter que le double éthérique est particulièrement susceptible aux éléments constitutifs des alcools.

La faculté de clairvoyance peut quelquefois se manifester sous l'influence du mesmérisme; ou encore par une tension nerveuse exagérée causée par l'excitation, une mauvaise santé, les narcotiques ou certains rites cérémoniels qui amènent la soi-hypnotisation.

On ne saurait pourtant conseiller de se faire plonger dans le sommeil magnétique afin de gagner la clairvoyance, car la domination de la volonté par une volonté étrangère risque d'affaiblir celle du sujet et de lui donner une tendance à se laisser gouverner par autrui.

Parfois une personne assez heureuse pour s'être attirée l'amitié d'esprits de la nature éthériques peut avec leur assistance et pour qu'elle puisse les apercevoir, obtenir de fugitives lueurs de clairvoyance temporaire. Pour cultiver des amitiés semblables, il faut se rappeler que ces esprits de la nature sont extrêmement timides et craintifs à l'égard des hommes; ils n'aiment pas les émanations physiques de l'homme moyen — celles de la viande, du tabac, de l'alcool — comme aussi les sentiments bas et égoïstes, tels que la sensualité, la colère ou la dépression. Les sentiments énergiques et altruistes d'une nature élevée créent le genre d'atmosphère dans laquelle se baignent avec joie les esprits de la nature.

Presque tous ceux-ci aiment la musique; il y en a qui sont particulièrement attirés par certaines mélodies. L'évêque Leadbeater raconte qu'il a vu en Sicile de jeunes bergers soufflant dans des flûtes de Pan fabriquées de leurs propres mains et entourés d'un auditoire de fées gambadant joyeusement autour d'eux, sans que ces enfants s'en doutassent probablement le moins du monde. Il arrive pourtant aux paysans de voir les esprits de la nature, comme l'affirme la littérature de bien des peuples.

Il existe une manière de développer la vue éthérique, c'est en employant l'imagination. On essaie d'« imaginer » ce que peut bien être l'intérieur d'un objet physique tel qu'une boîte fermée, c'est-à-dire de « deviner », par un effort d'imagination soutenu ou de s'efforcer de voir ce qui échappe à la vue ordinaire. Après de nombreuses tentatives il paraît que l'on « devine » juste plus souvent que ne le donnerait à prévoir la théorie des probabilités; et l'homme finit en effet par voir éthériquement ce qu'il n'avait d'abord fait qu'imaginer. Cette pratique est suivie, dit-on, par la tribu Zuni des Peaux-rouges d'Amérique (voyez dans *Service Magazine*, avril 1925, un article par Beatrice Wood).

De nombreuses personnes, si elles veulent se donner la peine de regarder dans des conditions d'éclairage appropriées, peuvent voir le fluide magnétique, c'est-à-dire l'éther nerveux, s'échappant des mains du magnétiseur. Le baron Reichenbach, au milieu du dix-neuvième siècle,

relate qu'il trouva plus de soixante personnes capables
de voir ces émanations; quelques-unes percevaient aussi
une émanation assez semblable issue d'aimants physiques, de cristaux et de fils de cuivre dont l'une des
extrémités était exposée au soleil. En général, les obser-
vateurs étaient enfermés pendant quelques heures dans
une chambre obscure afin de rendre la rétine plus sensible.

Certains savants français qui ne pouvaient normalement voir les rayons N y sont parvenus après avoir
passé dans l'obscurité trois ou quatre heures.

Notons ici que les rayons N sont dus aux vibrations
du double éthérique soulevant des vagues dans l'éther
ambiant. L'étudiant se rappellera que les animaux, les
fleurs et les métaux émettent des rayons N mais que,
sous l'action du chloroforme, ils cessent tous de le faire.
Ces rayons ne sont jamais émis par un cadavre. On se
rappellera aussi que les anesthésiants, tels que le chloroforme, expulsent du corps physique la matière éthérique (voyez page 15) empêchant ainsi, bien entendu,
l'émanation des rayons.

La pleine et entière possession de la vue éthérique permet aux regards de traverser la matière physique; un
mur en briques par exemple, ne semble pas plus consistant qu'une brume légère; il est possible de décrire
exactement le contenu d'une boîte fermée et de lire
une lettre cachetée; avec un peu de pratique, on arrive
aussi à trouver un passage dans un livre fermé.

Quand la faculté est parfaitement développée, le clairvoyant en est complètement maître; il peut à son choix
s'en servir ou non. On assure qu'il est aussi facile de
passer de la vue ordinaire à la vue éthérique que de
modifier, sur le plan physique, le foyer visuel : il s'agit
en réalité du foyer de la conscience.

La terre est, jusqu'à un certain point, transparente
pour la vue éthérique; les regards peuvent pénétrer profondément, comme dans une eau assez limpide. Un

animal creusant sous le sol serait ainsi visible, comme le seraient une veine de charbon ou un filon métallique s'ils n'étaient pas trop loin de la surface. Le milieu à travers lequel nous regardons n'est donc pas absolument transparent.

Les corps des hommes et des animaux sont en somme diaphanes; les organes intérieurs se distinguent et l'on peut dans une certaine mesure diagnostiquer une maladie.

La vue éthérique rend visible de nombreuses entités, telles que les ordres inférieurs d'esprits de la nature qui procèdent des corps éthériques. A cette catégorie appartiennent presque toutes les fées, tous les gnomes et les « brownies » qui font l'objet de tant de récits dans les highlands d'Ecosse, en Irlande et autres pays.

Il existe une classe de fées gracieuses, ayant des corps éthériques et qui se sont élevées sur l'échelle de l'évolution, en passant par les herbes et les céréales, les fourmis et les abeilles, enfin par de minuscules esprits de la nature; en cessant d'être des fées éthériques elles deviennent des Salamandres ou esprits du feu, puis des Sylphes ou esprits de l'air; elles passent enfin dans le règne angélique.

Les fées présentent des formes nombreuses et diverses mais le plus souvent leur apparence est humaine et leur taille assez réduite; elles se distinguent en général par l'exagération grotesque de tel trait ou de tel membre; la matière éthérique étant plastique et facilement modelée par la force de la pensée, elles peuvent à volonté prendre à peu près tous les aspects; pourtant elles possèdent des formes à elles dont elles se revêtent lorsqu'elles n'ont pas de raisons pour en adopter d'autres.

Pour prendre une forme autre que la sienne, la fée doit en faire une image nette en fixant sur elle sa pensée; dès que celle-ci se relâche, la fée reprend son apparence normale.

La matière éthérique n'obéit pas instantanément,

comme le fait la matière astrale, à l'énergie mentale. La matière mentale, pourrions-nous dire, se modifie *avec* la pensée, et la matière astrale si vite après celle-ci, qu'un observateur ordinaire ne peut remarquer aucune différence; mais quand il s'agit de matière éthérique la vision peut suivre sans difficulté la croissance et la diminution. Un sylphe astral passe *comme un éclair* d'une forme à une autre; une fée éthérique grossit ou décroît vite, mais point instantanément.

La taille d'une fée éthérique ne peut varier que dans certaines limites, très larges il est vrai. Une fée de douze pouces de hauteur pourrait ainsi se grandir et atteindre une taille de six pieds, non sans un effort considérable, impossible à soutenir plus de quelques minutes.

Parmi les courants de la vie en évolution il en est un qui, après avoir quitté le règne minéral, revêt des véhicules éthériques, localisés dans l'intérieur de la terre, au cœur des roches qui n'offrent d'obstacle ni à leur mobilité, ni à leur vision. Plus tard, tout en habitant encore les masses rocheuses, ces êtres vivent plus près de la surface terrestre; les plus développés peuvent même de temps à autre s'en détacher momentanément. Ces gnomes qui ont été quelquefois aperçus et peut-être plus souvent entendus, dans les cavernes ou dans les mines, deviennent visibles soit en se matérialisant au moyen d'un voile de matière physique, soit bien entendu parce que l'observateur est devenu d'une façon temporaire éthériquement clairvoyant. Ils seraient vus plus souvent, n'était leur antipathie invincible pour le voisinage des humains, sentiment qu'ils partagent avec tous les esprits de la nature, sauf ceux des types les plus inférieurs.

Certains de ces derniers n'ont, au point de vue esthétique, aucun charme : masses informes aux bouches immenses, béantes et rouges, se nourrissant des écœurantes émanations éthériques du sang et de la chair en putréfaction; êtres rapaces, ressemblant à des crustacés de couleur rouge-brun planant au-dessus des maisons mal famées; monstres féroces, pareils à des pieuvres qui se délectent dans les scènes d'ivrognerie et dans les émanations alcooliques.

Les entités jouant aux divinités de tribu ou acceptées comme telles, à qui l'on offre des sacrifices sanglants ou des aliments, de préférence carnés, que l'on brûle pour eux, sont des êtres de très basse catégorie, possédant des corps éthériques, car ils ne peuvent que par ces derniers absorber les émanations physiques, soit pour s'en nourrir, soit pour en jouir.

Les histoires où il est question d'onguents et de drogues qui, appliqués sur les yeux, permettent de voir les fées, ont un fond de vérité. Aucun onguent sur les yeux ne peut ouvrir la vision astrale bien que certaines frictions faites sur le corps entier aident le corps astral à se séparer, en pleine conscience, du véhicule physique.

La vue éthérique rend naturellement visibles les doubles éthériques humains; ces doubles sont souvent vus flottant au-dessus des tombes récentes. Dans les séances spirites, on peut voir la matière éthérique s'échapper du flanc gauche du médium, et en même temps les façons diverses dont la mettent à profit les entités qui veulent se communiquer au cercle.

La vue éthérique rend perceptibles plusieurs couleurs entièrement nouvelles, tout à fait différentes de celles du spectre solaire tel que nous le connaissons et par suite impossibles à décrire dans notre langage actuel. Dans certains cas, ces autres couleurs sont combinées avec celles qui nous sont familières, si bien que deux surfaces qui, pour la vue ordinaire, sembleraient d'un ton identique, paraîtraient différentes pour la vue éthérique.

Tout un monde nouveau s'offrirait aux observations du chimiste, qui pourrait traiter les éthers comme il traite les liquides ou les gaz.

Il y a dans le règne minéral beaucoup de substances éthériques dont l'existence est inconnue à la science occidentale. Dans la première Ronde les corps humains

eux-mêmes étaient uniquement formés de matière éthérique et ressemblaient à des nuages vagues, errants,
presque amorphes.

La vue éthérique nous permettrait de déterminer si
notre environnement est sain ou non; nous pourrions
grâce à elle, découvrir les germes de maladies ou autres
impuretés.

Les effets salutaires du voyage sont dus en partie au
changement des influences éthériques et astrales particulières à chaque localité ou district. Océan, montagne,
forêt, cascade — chacun possède son type de vie spécial, astral et éthérique aussi bien que visible et par
conséquent ses impressions et ses influences propres.
Beaucoup de ces entités cachées à nos yeux répandent
la vitalité; de toute façon les vibrations qu'elles font
naître éveillent des régions nouvelles dans les doubles
éthériques humains comme dans les corps astrals et
mentals; c'est un peu l'effet obtenu en faisant travailler
des muscles généralement laissés inactifs, effet d'abord
assez fatigant mais, à la longue, bienfaisant et désirable.
C'est ainsi que le canotage, par exemple, ou la natation,
surtout dans la mer, ont pour les raisons indiquées une
valeur spéciale.

Il y a un fond de vérité dans la tradition qu'il est
fortifiant de dormir sous un pin, la tête vers le nord, car
les courants magnétiques dirigés sous une douce pression à la surface de la terre, démêlent graduellement les
confusions locales et en fortifiant les molécules du corps
astral et du double éthérique, procurent le repos et le
calme. Les radiations du pin rendent l'homme sensible
aux courants magnétiques; en outre, l'arbre dégage sans
cesse une vitalité qui se trouve précisément dans la condition où l'homme peut le plus facilement l'absorber.

Il existe une sorte de marée magnétique, un flux et un
reflux d'énergie magnétique entre le soleil et la terre
et dont les points tournants sont les heures de midi et
de minuit.

Les grands courants éthériques, dans leur incessant passage à la surface terrestre, d'un pôle à l'autre, possèdent un volume qui rend leur puissance aussi irrésistible que celui de la marée montante; or il y a des méthodes permettant d'utiliser sans danger cette prodigieuse énergie, bien que des tentatives maladroites faites pour s'en emparer présenteraient un grand danger. Il est également possible d'utiliser l'énorme force de la pression éthérique.

De plus, en transformant la matière grossière en une autre plus subtile, la vaste réserve d'énergie potentielle dormante peut être libérée et employée, comme l'énergie calorique latente peut se trouver libérée par une modification dans la condition de la matière visible.

En renversant le processus dont nous avons parlé, il est possible de faire passer la matière de l'état éthérique à l'état solide et ainsi de produire un phénomène de « matérialisation ».

Cette faculté est quelquefois mise en jeu dans certains cas urgents, où un homme dans son corps astral, un « aide invisible », a besoin d'agir sur la matière physique. Pour cela, il faut être capable d'un effort de concentration soutenu. Si la pensée se relâchait même pendant une demi-seconde, la substance de la forme matérialisée retournerait instantanément à sa condition première.

Si un objet physique, après avoir été réduit à la condition éthérique, peut être ramené à sa forme ancienne, c'est que l'essence élémentale est maintenue dans la même forme : dès la suppression de l'énergie mentale l'essence fait donc l'office d'un moule autour duquel viennent de nouveau s'agréger les particules solidifiantes. Néanmoins, si un objet solide se trouve, par la chaleur, amené à l'état gazeux, l'essence élémentale constituant l'objet se dissipe, non que l'essence elle-même puisse être affectée par la chaleur, mais parce qu'après la destruction de son corps temporaire comme solide, elle retourne au grand réservoir de cette même essence. De même les principes supérieurs de l'homme, sur lesquels ni la chaleur ni le froid n'ont la moindre action, sont pourtant expulsés d'un corps physique lorsque celui-ci est détruit par le feu.

Ainsi rien n'empêche de réduire un objet physique à la condition éthérique, puis de le transporter d'un lieu à un autre, même à travers la matière solide telle qu'un mur en briques, par un courant astral, et cela très rapidement. Dès le retrait de l'énergie désintégrante, la pression éthérique oblige la matière à reprendre sa condition première.

Lorsqu'un homme acquiert la sensitivité éthérique et d'abord la vision, un changement correspondant se produit presque toujours dans les autres sens. Les astrologues assurent de même que les influences planétaires, en amenant la dilatation et la contraction de l'atmosphère, fournissent à la méditation des conditions plus ou moins favorables.

L'encens, dit-on, agit sur le corps éthérique un peu comme les couleurs sur le corps astral; on peut donc s'en servir pour amener rapidement à l'unisson les véhicules de l'homme. Certaines odeurs, paraît-il, peuvent être employées pour agir sur diverses régions cérébrales.

L'effet de la vision éthérique est tout autre que celui de la vision astrale. Dans ce dernier cas, intervient un élément entièrement nouveau souvent appelé quatrième dimension : un cube par exemple, semble alors aplati; tous ses côtés sont également visibles; toutes les particules qu'il renferme le sont de même.

La vision éthérique, au contraire, se borne à percer *à travers* les objets, et l'épaisseur de matière à travers laquelle on regarde enlève beaucoup à la netteté des observations. Cette difficulté n'existe pas pour la vision astrale.

Le mot *throughth* (1) appliqué par W. T. Stead à la

(1) *Faculté de tout percer* (N. du T.).

vision suivant quatre dimensions, exprime parfaitement ce qu'il faut entendre par la vision éthérique, mais point par la vision astrale.

Celle-ci peut encore servir à grossir les objets. La méthode consiste à faire passer directement au cerveau éthérique les impressions éprouvées par la matière éthérique de la rétine. Par la concentration de l'attention sur une ou plusieurs particules éthériques, l'organe employé et le très petit objet examiné acquièrent des dimensions semblables.

Une méthode plus ordinaire mais exigeant un développement supérieur, consiste à faire saillir du centre du chakra situé entre les sourcils un tube flexible de matière éthérique présentant à son extrémité un atome servant de lentille et dont les sept spirilles doivent être pleinement développées. L'atome se dilate ou se contracte à volonté. Comme cette faculté appartient au corps causal il faut, quand la lentille est formée par un atome éthérique, l'introduction d'un système de contreparties servant de réflecteurs.

Cette même faculté comporte une extension : l'opérateur peut alors, en concentrant sa conscience dans le foyer grossissant, la projeter au loin.

Une disposition différente permet de diminuer et ainsi de percevoir un objet trop grand pour être immédiatement perçu par la vue ordinaire.

Cette faculté a été symbolisée par le petit serpent qui, dans la coiffure des pharaons, se dresse au centre du front.

La clairvoyance dont font preuve les défunts dans une séance spirite et qui leur permet de lire dans un livre fermé, est souvent du type éthérique.

L'une des variétés de télépathie est éthérique et peut prendre deux formes. Dans la première se forme une image éthérique visible pour un clairvoyant; dans la seconde les ondes éthériques générées par la création de l'image rayonnent et, en allant frapper un autre cerveau éthérique, tendent à reproduire la même image.

La transmission de la pensée a dans le cerveau un centre particulier, à la fois transmetteur et receveur : c'est la glande pinéale. Si une personne quelconque s'absorbe en une seule idée, des vibrations s'éveillent dans l'éther qui sature la glande; il en résulte un courant magnétique donnant lieu à un léger tressaillement.

Cette sensation prouve que la pensée est nette et assez forte pour être susceptible de transmission. Chez la plupart des hommes la glande pinéale n'est pas encore pleinement développée, comme elle le sera au cours de l'évolution.

Les étudiants en occultisme savent qu'il existe un moyen d'infléchir les rayons lumineux, de les faire tourner autour d'un objet, puis de les ramener exactement dans leur direction première. Ceci, bien entendu, rend invisible à la vue ordinaire l'objet autour duquel les rayons sont infléchis. Nous supposons que ce phénomène a pour condition la faculté de manipuler la variété spéciale de matière éthérique servant de milieu à la transmission de la lumière.

CHAPITRE XXIII

Magnétisation des objets

Le magnétisme ou fluide vital de l'homme peut servir, non seulement à magnétiser ou à guérir ses semblables, mais encore à imprégner d'une manière analogue les objets physiques. En fait, tout objet resté en contact immédiat avec un individu absorbe le magnétisme de ce dernier et par conséquent tend à éveiller dans la personne qui le porte les mêmes sentiments ou les mêmes pensées dont il est pénétré. Ceci explique naturellement, tout au moins en partie, l'action des talismans, des charmes et des reliques, comme aussi les sentiments de dévotion et de religieux respect qui souvent exsudent littéralement des murailles de nos églises et cathédrales dont chaque pierre, véritable talisman chargé de la vénération et de la piété du constructeur, a été consacrée par un évêque et dont l'influence est encore renforcée par les formes-pensées dévotionnelles émises depuis des milliers d'années par les générations successives.

Le processus ne s'interrompt jamais bien que peu de personnes en soient conscientes. Ainsi, par exemple, les aliments tendent à absorber le magnétisme des personnes qui les touchent ou qui en approchent; d'où, en réalité, les règles sévères observées par les Hindous, qui évitent de manger en présence de personnes appartenant à une caste inférieure ou de rien consommer qui ait subi le magnétisme de celles-ci. Pour l'occultiste, la pureté magnétique est aussi importante que la propreté physique. Des aliments comme le pain et la pâtisserie sont particulièrement susceptibles d'absorber le magnétisme de la personne qui les a préparés, car c'est par les mains que s'écoule le magnétisme avec le plus de force. L'action du feu dans la cuisson supprime heureusement la plupart des variétés de magnétisme physique. Certains étudiants en occultisme, afin d'empêcher autant que possible tout mélange magnétique tiennent à employer à table exclusivement leurs propres ustensiles et ne permettent même pas qu'un homme dont le magnétisme n'a pas reçu leur approbation leur coupe les cheveux. La tête est naturellement la région du corps où le magnétisme d'autrui aurait la pire influence.

Les livres, surtout ceux des bibliothèques publiques, tendent à se charger de toutes sortes de magnétismes.

Les pierres précieuses — qui représentent ce que le règne minéral a développé de plus parfait — sont très susceptibles de recevoir et de retenir les impressions. Beaucoup de bijoux sont saturés par les sentiments d'envie ou de convoitise et, en ce qui concerne quelques célèbres joyaux historiques, imprégnés d'émanations physiques et autres provenant de crimes perpétrés afin de les acquérir. Des bijoux comme ceux-là conservent ces impressions pendant des milliers d'années, si bien que les psychomètres perçoivent dans leur ambiance des tableaux indiciblement affreux. Pour cette raison, la plupart des occultistes déconseillent, en règle générale, le port des bijoux.

Par contre, les gemmes peuvent être des réservoirs d'influence bonne et désirable. Ainsi les pierres gnostiques employées il y a deux mille ans au cours des cérémonies initiatiques, conservent à ce jour leur puissante efficacité magnétique. Quelques scarabées égyptiens l'ont également gardée, bien qu'ils soient bien plus anciens que les gemmes gnostiques.

L'argent — monnaie ou billets de banque — est souvent chargé d'un magnétisme extrêmement désagréable; non seulement il absorbe les genres de magnétisme les plus divers mais il est, de plus, entouré des pensées et des sentiments des personnes qui l'ont manié. Le trouble et l'irritation qui en dérivent pour les corps astrals et mentals ont été comparés aux effets que produit le bombardement des émanations du radium sur le corps physique. Les monnaies de cuivre et de bronze, comme aussi les billets vieux et sales, présentent le plus d'inconvénients. Le nickel conserve moins que le cuivre les influences pernicieuses; moins encore l'argent et l'or.

Citons aussi la literie comme exemple de la manière dont les objets physiques absorbent et répandent l'influence magnétique. Beaucoup de personnes ont observé que des rêves pénibles avaient souvent pour cause l'usage d'un oreiller ayant servi à une personne peu recommandable. Si l'on se sert de laine, soit comme couvertures, soit comme vêtements, ne pas la mettre contre la peau, car la laine est saturée d'influences animales.

Pour constituer méthodiquement un talisman, il faut, en premier lieu, débarrasser entièrement l'objet de sa matière éthérique présente, en le faisant passer à travers une pellicule de matière éthérique spécialement créée par un effort de la volonté. L'ancienne matière ou magnétisme ayant ainsi disparu, l'éther ordinaire de l'atmosphère ambiante en prend la place, car il existe une pression éthérique correspondant à la pression atmosphérique mais infiniment plus puissante.

On agit de même pour les matières astrale et mentale; l'objet devient alors, pour ainsi dire, une feuille blanche sur laquelle on peut écrire ce que l'on veut. L'opérateur, posant sur l'objet sa main droite, se remplit alors des qualités spéciales qu'il désire conférer au talisman, avec la volonté de les lui communiquer. Un occultiste expérimenté peut accomplir tout cela presque instantanément par un puissant effort de volonté; pour d'autres il faudra plus longtemps.

C'est ainsi que l'on procède quand il s'agit d'un talisman *général*. Un talisman *adapté* est un talisman spécialement constitué pour répondre aux besoins d'une personne particulière; telle une ordonnance individuelle plutôt qu'un tonique général. Un talisman *animé* est destiné à rester pendant des siècles un foyer de radiations. On en distingue deux variétés. Dans la première, le talisman reçoit un fragment de minéral supérieur émettant incessamment un courant de parcelles qui absorbent l'énergie dont le talisman est chargé; le rôle distributeur échoit alors au minéral; de là une grande économie d'énergie.

Dans la seconde variété les ingrédients sont disposés de telle façon que le talisman devienne un moyen de manifestation pour certaines catégories d'esprits de la nature; ceux-ci fournissent la force nécessaire à la dissémination de l'influence. Des talismans pareils peuvent durer des milliers d'années; ils font la joie des esprits de la nature et le plus grand bien à toute personne qui s'approche du centre magnétique.

Un talisman *rattaché* est magnétisé de façon à être maintenu étroitement en rapport avec son auteur et devenir une sorte d'avant-poste de sa conscience. Le porteur du talisman peut donc, grâce à ce lien, solliciter le secours de son auteur qui de son côté peut envoyer au porteur un courant d'influence. Un talisman de ce genre faciliterait ce que les scientistes chrétiens appellent « le traitement d'absence ».

Dans certains cas très rares un talisman physique peut être relié au corps causal d'un Adepte, comme le furent les talismans enterrés dans plusieurs contrées par Apollonius de Tyane, il y a dix-neuf cents ans, afin que leur énergie rayonnante préparât ces localités à devenir, dans l'avénir, le centre de grands événements. Quelques-uns ont déjà été utilisés; d'autres le seront sous peu et serviront à l'occasion de l'avènement prochain du Christ.

D'importants sanctuaires sont généralement élevés au lieu où vécut tel saint, où se passa un événement considérable comme une Initiation, où reposent les restes d'un grand personnage. Dans tous ces cas, il fut créé un centre d'influence magnétique puissante, qui persistera pendant des milliers d'années. En admettant que la « relique » n'ait guère d'action ou même qu'elle ne soit pas authentique, les sentiments de dévotion qui depuis des siècles lui ont été prodigués par d'innombrables visiteurs feraient de cette localité un centre actif de rayonnement bienfaisant. L'influence subie dans tous ces endroits par les visiteurs et pèlerins est incontestablement bonne.

Comme nous l'avons déjà mentionné, les pierres précieuses sont naturellement aptes à devenir des talismans ou amulettes. Le fruit *rudraksha,* dont les Indiens font souvent des colliers, se prête éminemment à la magnétisation, pour favoriser la pensée spirituelle ou la méditation, en écartant les influences perturbatrices. Les perles fournies par la plante appelée *tulsi* en sont un autre exemple, bien que l'influence qui s'en dégage ait un caractère un peu différent. Une catégorie de talismans intéressante est celle des objets fortement odorants. Les gommes dont se compose l'encens, par exemple, peuvent être choisies parmi celles qui favorisent la pensée spirituelle et pieuse. Il est possible aussi de combiner des ingrédients ayant les propriétés inverses, comme les sorcières le faisaient quelquefois au moyen âge.

Un occultiste expérimenté n'omet jamais de communiquer des influences bienfaisantes à tous les objets qui passent de ses mains dans d'autres, tels que lettres, livres ou cadeaux; il peut, par un seul effort de volonté, charger ainsi un message dactylographié d'une manière beaucoup plus efficace que ne le ferait, inconsciemment, en l'écrivant à la plume, une personne ignorante de ces vérités.

Un occultiste instruit peut encore, d'un simple mouvement de la main accompagné d'une pensée énergique, démagnétiser presque instantanément les aliments, les vêtements, la literie, les appartements, etc. Une démagnétisation semblable, tout en chassant le magnétisme qui a subi une influence extérieure, n'affecte pas le magnétisme inné des objets comme, par exemple, les vibrations désagréables inhérentes à la viande et que la cuisson même ne peut détruire.

Pour faciliter la démagnétisation de chambres, etc., on peut brûler de l'encens ou des pastilles, ou bien faire des aspersions d'eau, encens et eau ayant d'abord été traités comme il a été dit pour les talismans.

Se rappeler aussi que, la matière physique dans l'homme se trouvant étroitement en contact avec les matières astrale et mentale, le caractère épais et grossier du véhicule physique correspond presque forcément à une condition similaire des autres véhicules : d'où la grande importance pour l'occultiste de la propreté physique aussi bien que magnétique ou éthérique.

L'eau bénite en usage dans certaines églises chrétiennes offre un exemple frappant de magnétisation, l'eau absorbant très facilement le magnétisme. Les instructions du rituel romain montrent avec évidence que le prêtre est tenu d'abord, d'« exorciser » le sel et l'eau, c'est-à-dire de les purifier de toutes les influences mauvaises, puis en faisant le signe de la croix de « bénir » les éléments, c'est-à-dire d'y faire passer son propre magnétisme avec l'intention de chasser toutes les pensées et tous les sentiments mauvais.

Il vaut la peine de noter que le sel contient du chlore, élément « igné »; aussi l'eau, ou grand dissolvant, en combinaison avec le feu, ou grand consumant, possède-t-elle au plus haut degré la faculté purificatrice.

Des idées tout à fait semblables se retrouvent dans d'autres cérémonies de l'église chrétienne, comme le baptême, dont l'eau bénite reçoit le signe de la croix; la consécration des églises et des cimetières, des vases de l'autel, des ornements sacerdotaux, des cloches, de l'encens; enfin l'ordination des prêtres et la consécration des évêques.

Dans l'Eucharistie, le vin exerce une très puissante influence sur les niveaux astrals supérieurs, tandis que l'eau fait naître même des vibrations éthériques.

Dans le baptême, suivant le rite de l'Eglise catholique libérale, le prêtre fait le signe de la croix sur le front, la gorge, le cœur et le plexus solaire de l'enfant; ceci ouvre les chakras éthériques, si bien qu'ils atteignent environ la grandeur d'une pièce d'une couronne, puis commencent à briller et à tourner comme chez les adultes.

De plus, l'eau en touchant le front fait *vibrer* avec violence la matière éthérique, stimule le cerveau et par le corps pituitaire affecte le corps astral, puis par celui-ci le corps mental.

Plus tard le prêtre, par l'onction faite avec le chrême sur le sommet de la tête, transforme le chakra en une sorte de tamis qui rejette les influences, sentiments ou particules grossiers, tandis que par un effort de volonté il referme les quatre centres qu'il a ouverts.

Dans la confirmation, l'effet produit sur le principe âtmique se reflète dans le double éthérique.

Dans l'ordination d'un prêtre, le résultat cherché est d'ouvrir la communication entre les principes supérieurs et le cerveau physique. La bénédiction inonde le cerveau éthérique; elle est destinée à s'élever à travers le corps pituitaire, point où se rencontrent le plus étroitement les corps dense physique, éthérique et astral.

L'onction faite avec le chrême sur la tête d'un évêque est destinée à influencer le brahmarandra chakra de telle façon que, cessant de présenter la concavité arrondie ordinaire, il forme une sorte de cône saillant, comme on le remarque souvent dans les statues de Notre Seigneur le Bouddha.

L'ordination des clercs a surtout pour objet d'agir sur le corps éthérique; celle des portiers sur l'astral; celle des lecteurs sur le mental; enfin celle des exorcistes sur le corps causal. Lors de son ordination, l'exorciste reçoit une assistance qui lui permet d'exercer plus puissamment sa faculté de guérir.

Il y eut jadis, semble-t-il, une coutume — origine de la méthode romaine actuelle d'oindre les organes sensoriels — consistant à sceller les chakras dans le corps des mourants, pour empêcher des entités mauvaises de s'emparer du corps abandonné par son possesseur et de s'en servir dans des intentions de magie noire.

Beaucoup d'affections nerveuses pourraient sans doute être atténuées par des onctions d'huile consacrée; les maladies éthériques pourraient également être guéries de la sorte.

Dans la crosse de l'évêque contenant les joyaux consacrés l'énergie éthérique rayonnant de ceux-ci est à la fois la plus extérieure et la plus accentuée, à ce point qu'il ne serait pas surprenant que leur contact pût effectuer des guérisons physiques.

Au moyen âge, les alchimistes employaient des méthodes analogues, telles qu'épées ou drogues magnétisées, etc. Dans les mystères anciens, le thyrse était un instrument fortement magnétisé; il était posé contre l'épine dorsale du candidat et lui communiquait ainsi une partie du magnétisme dont il était chargé.

CHAPITRE XXIV

L'ectoplasme

Ectoplasme (du grec *ektos,* dehors et *plasma,* moule) — c'est-à-dire ce qui est modelé extérieurement au corps humain — est le nom donné à la matière presque entièrement sinon tout à fait éthérique qui s'échappe du médium et sert aux phénomènes obtenus dans les séances spirites.

Mr. W. J. Crawford D. Sc., aujourd'hui décédé, dans ses ouvrages — *The Reality of Psychic Phenomena* (1916), *Experiments in Psychical Science* (1918), *Psychic Structures* (1921) — décrit les consciencieuses et habiles recherches qu'il entreprit pour expliquer des phénomènes tels que soulèvement des tables ou « lévitation » et coups frappés. Les étudiants trouveront dans ces livres les détails complets; ici nous devons nous borner à un bref sommaire des seuls résultats se rapportant directement à notre présente étude.

Pendant toutes les expériences le médium était pleinement conscient.

W. J. Crawford envisagea les problèmes de lévitation, etc., comme de simples problèmes de mécanique. En faisant usage d'appareils tant mécaniques qu'électriques, enregistrant l'énergie déployée il réussit à découvrir, par suite de ses observations, le *modus operandi* des « structures psychiques » employées. Beaucoup plus tard il parvint à vérifier complètement ses déductions, par la vision directe et par la photographie, comme nous l'expliquerons en son temps.

En résumé, on découvrit que l'ectoplasme, issu du médium, était préparé et modelé par les « opérateurs » qui contrôlent ces phénomènes et devenait ce que l'auteur appelle des « baguettes ». Ces baguettes ou tiges

étaient attachées au médium par l'une de leurs extrémités; par l'autre elles se fixaient, comme par des ventouses à des pieds de table ou autres objets; la force
psychique passant alors dans les baguettes, les tables,
etc., étaient déplacées de diverses façons sans contact
exclusivement physique avec aucune des personnes pré-
sentes. Les coups frappés et d'autres bruits sont causés
par les baguettes qui heurtent le parquet, une table, une
sonnette, etc.

C'est du médium que provient la plus grande partie
de l'ectoplasme, bien qu'une petite quantité provenant
de tous ou presque tous les assistants, vienne s'y ajouter.

L'ectoplasme peut quelquefois être senti, bien qu'il
soit tout à fait invisible pour la vue ordinaire. On lui
assigne un caractère gluant, froid, reptilien, presque hui-
leux, comme si à l'air se mêlaient des parcelles de matière morte et répugnante.

Les baguettes psychiques émanant du médium peuvent, à leurs extrémités, présenter un diamètre variable,
allant de 12 millimètres à 17 et 20 centimètres, et l'extrémité libre de chaque baguette paraît susceptible de prendre diverses formes; elle peut être aussi plus ou moins
dure. L'extrémité peut être plate ou convexe, circulaire
ou ovale, douce comme la chair d'un petit enfant ou
dure comme le fer. La baguette paraît solide jusqu'à
quelques pouces du bout libre, mais ensuite elle devient
intangible, bien qu'elle résiste, tire, pousse, etc.

Dans cette partie intangible on peut cependant sentir
un flux de parcelles froides et pareilles à des spores
allant du médium vers l'extérieur. Il semble probable
que dans certains cas (pas dans ceux de lévitation), il
se produise une circulation complète de matière éthérique issue du médium et rentrant en lui, mais par une
autre partie du corps. La grosseur et la dureté de l'extrémité de la baguette peuvent être modifiées à volonté.
Les baguettes les plus grandes sont généralement assez
molles à leur extrémité; les plus petites seules deviennent
denses et fermes.

W. J. Crawford estime probable que les baguettes consistent en faisceaux de fils ténus, intimement unis et adhérents entre eux. La force psychique suit les fils et donne à l'ensemble la rigidité d'une solive qui peut alors être déplacée à volonté par les énergies mises en jeu dans le corps du médium.

Certaines expériences donnent à penser que l'extrémité d'une baguette consiste en une pellicule épaisse ou plus ou moins élastique, tendue sur un cadre mince, un peu dentelé, élastique. L'élasticité de la pellicule est limitée; soumis à un effort excessif celle-ci peut se rompre; le cadre dentelé reste alors exposé.

Le fait qu'un électroscope peut être déchargé s'il est touché par une baguette prouve que celle-ci joue le rôle de conducteur d'un courant électrique à haute tension se déchargeant dans le sol par le corps du médium à qui elle se trouve reliée. D'autre part, une baguette placée en travers des extrémités d'un circuit à sonnerie ne fait pas sonner, montrant ainsi qu'elle oppose une haute résistance à un courant dont la tension est basse.

La lumière blanche détruit en général les baguettes; les rayons réfléchis par une surface dont s'échappe la force psychique suffisent même pour empêcher le phénomène. Cependant la lumière rouge, si elle n'est pas trop vive, ne semble nuire en rien à la structure psychique; il en est de même de la lumière émanant d'une peinture lumineuse préalablement exposée au soleil pendant quelques heures.

Les structures sont en général tout à fait invisibles, bien qu'il soit quelquefois possible de les entrevoir; elles ont pu être photographiées au magnésium, mais il faut prendre bien garde de ménager le médium. La lumière du magnésium venant frapper l'ectoplasme cause au médium un choc beaucoup plus violent quand la structure est en action que dans le cas opposé.

Les nombreuses photographies obtenues confirment, dans tous les détails, les conclusions tirées des phénomènes eux-mêmes.

La rigidité d'une baguette varie suivant l'éclairage. Le bout dur fond partiellement, pour ainsi dire, quand la baguette est exposée à la lumière.

Le déplacement d'objets par la force psychique s'obtient de deux manières principales. Dans la première, une ou plusieurs baguettes sortent du médium, très souvent par les pieds et par les chevilles, quelquefois par la région inférieure du tronc; elles s'attachent directement à l'objet qui doit être déplacé et forment ainsi des ponts « cantilevers », quand les tables se déplacent horizontalement, les baguettes sont en général fixées à leurs pieds; quand les tables sont soulevées, la baguette ou les baguettes s'étalent à leurs extrémités comme des champignons et sont fixées à la surface inférieure du meuble.

Dans la seconde méthode la ou les baguettes issues du médium sont fixées au parquet et sont prolongées depuis leur point d'attache jusqu'à l'objet à déplacer; elles ne forment donc plus un « cantilever », mais ce qui ressemble à un levier du « premier genre », le point d'appui se trouvant entre le poids et la force.

Les baguettes peuvent être droites ou courbes; elles peuvent encore être suspendues en l'air dans une condition de rigidité montrant ainsi que pour la conserver elles n'ont pas besoin de s'appuyer sur des corps matériels.

Dans le cas où est mise en jeu la méthode du « cantilever », tout l'effort mécanique incombe au médium ou, plus exactement, la plus grande partie de cet effort; une partie bien moindre incombe aux assistants. Il est possible de le constater par les appareils mécaniques ordinaires, tels que des romaines et des balances à ressort. Une table, par exemple, est-elle soulevée entièrement au moyen d'un « cantilever », le poids du médium augmentera des 95 pour 100 du poids de la table, et celui des assistants augmentera proportionnellement.

Si, d'autre part, les baguettes sont fixées au plancher,

le poids de la table soulevée est transmis directement à celui-ci et le poids du médium, au lieu d'augmenter, *diminue*; cette diminution est représentée par le poids de l'ectoplasme formant la baguette dont une extrémité pose sur le plancher.

Quand la force est transmise par une baguette afin de maintenir un objet, tel qu'une table, solidement fixé au plancher, la diminution du poids du médium, d'après les observations, a atteint jusqu'à 35 livres 1/2. Une autre fois, la structure ectoplastique n'étant pas en charge, le poids du médium diminua de 54 livres 1/2, soit presque la moitié de son poids normal.

Les « cantilevers » sont généralement employés pour mouvoir ou soulever les objets, mais pour les objets pesants ou pour transmettre une force considérable, la ou les baguettes sont fixées au plancher. La force déployée atteint souvent jusqu'à 100 livres.

Pendant la lévitation des objets, la tension subie par le médium se révèle souvent par la raideur et même la rigidité de fer présentée par les muscles, principalement ceux des bras, mais aussi par le système musculaire tout entier. Des études ultérieures révélèrent à W. J. Crawford que la rigidité musculaire avait entièrement disparu.

De la production de ces phénomènes semble résulter une perte de poids définitive tant du médium que des spectateurs, mais qui ne dépasse point quelques onces. Les assistants peuvent perdre plus de poids que le médium.

En général le fait de placer un objet matériel quelconque dans l'espace occupé par la baguette coupe immédiatement la communication et détruit la baguette, en tant que baguette; cependant un objet mince, comme un crayon, peut être passé impunément à travers la partie verticale de la baguette, mais point à travers la partie qui se trouve entre le médium et la table; toute atteinte portée à cette dernière partie peut léser physiquement le médium.

Pour qu'une baguette puisse toucher un plancher ou une table ou bien y adhérer, son extrémité doit être préparée d'une façon particulière et rendue plus dense que le reste de la baguette. Ceci paraît être gênant ou tout au moins exiger du temps et de la force; en conséquence, les points de saisie sont toujours réduits au minimum.

La saisie s'opère par succion, comme on peut aisément le démontrer par le moyen de l'argile molle, dont nous parlons plus loin. On entend quelquefois les « ventouses » glissant à la surface du bois ou s'attachant de nouveau.

W. J. Crawford donne de nombreux exemples (des photographies aussi) d'impressions produites par l'impact des baguettes dans le mastic ou l'argile molle. Ces impressions sont souvent couvertes de marques ressemblant au tissu des bas du médium. Pourtant la ressemblance est superficielle, car on ne peut produire des impressions pareilles en appuyant sur la glaise un pied couvert d'un bas. L'impression faite par la baguette est beaucoup plus précise qu'on ne pourrait le faire par des moyens ordinaires; elle ressemble à ce que l'on obtiendrait si une matière fine et visqueuse, étendue sur le tissu du bas, puis durci, avait ensuite été pressée sur la glaise.

En outre, l'empreinte du tissu peut se trouver très modifiée; le fin dessin produit par la combinaison des fils peut être déformé, épaissi, partiellement recouvert ou rompu; c'est bien toujours le dessin de ce même tissu.

On peut en déduire que l'ectoplasme est d'abord dans un état ressemblant à un semi-liquide; qu'il filtre à travers et autour des intervalles du tissu et se coagule en partie à l'extérieur du bas; il est d'une nature glutineuse et fibreuse, et la forme qu'il prend est presque exactement celle du tissu; puis il est enlevé du bas et placé autour de l'extrémité de la baguette. Pour opérer une impression étendue, la pellicule est épaissie et renforcée par une nouvelle addition de substance matérialisante; par suite, l'impression primitive peut être tordue, déformée ou partiellement oblitérée.

De même, la baguette peut reproduire l'impression des doigts, bien que la taille de ceux-ci puisse ne pas être celle de doigts normaux; en outre, les contours peuvent être beaucoup plus nets et plus réguliers qu'on ne les obtiendrait par des empreintes digitales ordinaires.

Des coups, allant des plus légers jusqu'à des coups portés avec la force d'un marteau-pilon, d'autres bruits encore, sont produits par les baguettes semi-flexibles munies de bouts appropriés, lorsqu'elles frappent des objets matériels. La production des coups est accompagnée chez le médium par une diminution de poids; cette diminution, qui peut être de vingt livres ou plus, semble être directement proportionnelle à l'intensité du coup. La raison est évidente : les baguettes étant formées de matière empruntée au corps du médium, le choc de cette matière contre le plancher, etc., transfère nécessairement au plancher, à travers la baguette, une partie du poids total du médium. La perte de poids est temporaire; elle se trouve compensée quand la matière des baguettes retourne au médium.

La production des coups détermine chez les médiums une réaction mécanique comme s'il était repoussé en arrière ou frappé. La réaction peut se traduire par des mouvements involontaires des pieds. Cependant l'effet subi de la sorte par le médium ne ressemble en rien à celui qui lui est causé par la lévitation des objets.

Les coups violents produits par une baguette de grande taille ne sont pas, en général, portés rapidement; au contraire, les coups légers, produits en général par une ou plusieurs baguettes minces, peuvent être produits avec une rapidité incroyable; les « opérateurs » semblent parfaitement maîtres des baguettes.

En général, la production de ces phénomènes impose une certaine tension à tous les assistants comme le montrent les mouvements spasmodiques, quelquefois très forts, que font successivement, avant la lévitation, toutes les personnes du cercle. Le détachement et l'enlèvement de la matière éthérique prise aux corps des assistants semble s'opérer par saccades et jusqu'à un certain point les affectent tous.

Suivant W. J. Crawford, une entité disant avoir été, de son vivant, médecin et parler par le médium (alors mis à cet effet en état de transe), déclara que dans la production des phénomènes deux espèces de substance étaient employées : l'une est empruntée en assez grandes quantités au médium et aux assistants, elle leur est à peu près intégralement restituée à la fin de la séance; l'autre ne peut être prise qu'au médium et, comme elle se compose de la substance la plus vitale remplissant les cellules nerveuses, elle ne peut être prise qu'en toute petite quantité sans que le médium ait à en souffrir; sa structure est détruite par le phénomène; elle ne peut donc être restituée au médium. Cette déclaration n'a été ni vérifiée ni confirmée en aucune façon; nous la donnons pour ce qu'elle vaut.

W. J. Crawford a imaginé et employé avec grand succès la « méthode des colorants » pour constater les mouvements de l'ectoplasme. Comme celui-ci possède la faculté d'adhérer fortement à une substance comme le carmin pulvérisé, on met cette couleur sur son chemin; il en résulte une piste colorée. On découvrit ainsi que l'ectoplasme sortait de la partie inférieure du tronc du médium et qu'il y rentrait par la même région. Sa consistance est assez grande car il exerce une forte action destructive sur les bas ou autres vêtements; il arrache quelquefois d'un bas des fils entiers, longs de plusieurs pouces, les emporte et les dépose dans un récipient de terre placé à une certaine distance des pieds du médium.

L'ectoplasme descend le long des jambes et pénètre dans les chaussures; il passe entre le bas et le soulier, partout où il y a la place nécessaire; si en chemin il s'est emparé de la poudre colorée, il la dépose sur tout point où le pied, le bas et la chaussure sont en contact étroit, c'est-à-dire où il n'a pas la place de passer.

La solidification, comme la dématérialisation du bout résistant d'une baguette s'effectuent dès que la baguette sort du corps du médium. C'est pourquoi le bout libre d'une baguette, à moins qu'elle ne soit des plus minces, ne peut traverser un tissu serré ou même du grillage métallique de un pouce s'ils sont placés à plus d'un ou deux pouces en avant du médium. Pourtant, si ces écrans se trouvent très près du corps, une matérialisation imparfaite de l'extrémité de la baguette peut avoir lieu et des phénomènes psychiques limités peuvent se produire.

La sortie de l'ectoplasme est accompagnée de forts mouvements musculaires dans tout le corps. Les parties charnues du corps, surtout au-dessous de la ceinture, diminuent de volume comme si la chair s'était affaissée.

W. J. Crawford est persuadé que dans la production des phénomènes spirites deux substances au moins sont employées : 1° un élément formant la base de la structure psychique; il est invisible, impalpable et généralement parlant, dépasse l'ordre physique; 2° une substance blanchâtre, translucide et nébuleuse, mêlée à la première afin de lui permettre d'agir sur la matière physique. La seconde, pense W. J. Crawford, est très probablement identique à la substance employée dans les phénomènes de matérialisation.

De nombreux phénomènes de matérialisation se trouvent décrits avec l'extrême et scrupuleuse minutie si caractéristique des recnercnes allemandes dans un important ouvrage intitulé *Phénomènes de matérialisation*, par le baron von Schrenck Notzing (1913), et traduit par E. E. Fournier d'Albe, D. Sc. (1920).

Outre les descriptions détaillées de séances et phénomènes nombreux, il s'y trouve environ deux cents photographies de formes matérialisées ou d'apparitions très diverses, depuis des fils ou masses d'ectoplasme jusqu'à des visages entièrement formés. Nous pouvons comme suit en résumer les conclusions principales. Pour faciliter notre tâche, nous faisons de larges emprunts à une conférence sur la *physiologie supra-normale et les phénomènes idéoplastiques,* par le Dr Gustave Geley, psychologue et médecin français, reproduite à la fin de l'ouvrage du baron Notzing.

Il émane du corps du médium une substance d'abord amorphe ou polymorphe; pouvant présenter l'aspect d'une pâte ductile, d'une vraie masse protoplasmique, d'une sorte de gelée tremblante, de simples blocs, de fils minces, de cordes, de rayons étroits et rigides, d'une bande large, d'une membrane, d'une étoffe, d'un tissu, d'un filet plissé et frangé.

La nature filamenteuse ou fibreuse de cette substance a été souvent observée.

Elle paraît blanche, noire ou grise, quelquefois tous trois simultanément; le blanc est peut-être le plus fréquent; elle semble lumineuse.

En général elle semble inodore, pourtant elle dégage quelquefois une odeur particulière et impossible à décrire.

Point de doute qu'elle ne soit sous l'influence de la pesanteur.

Au toucher elle peut être humide ou froide, visqueuse et gluante, plus rarement sèche et dure. Quand elle s'étale, elle est douce et un peu élastique; quand elle est formée en corde, elle est dure, noueuse et fibreuse. On peut la sentir passer sur la main comme une toile d'araignée; les fils sont à la fois rigides et élastiques; elle est mobile, son mouvement est rampant et reptilien, bien qu'elle se meuve parfois brusquement et vite; un courant d'air peut la mettre en mouvement. Si elle est touchée, une réaction douloureuse en résulte pour le médium. Elle est d'une extrême sensibilité, paraît et disparaît comme un éclair. Elle est particulièrement sensible à la lumière; il arrive pourtant que le phénomène résiste au plein jour. On peut la photographier au magnésium bien que la lueur brusque agisse sur le médium comme un coup subit.

Pendant la production du phénomène, la cabine contenant le médium est généralement dans l'obscurité, mais les rideaux sont souvent tirés de côté. Au dehors de la cabine on se sert de lumière rouge et même quelquefois de lumière blanche pouvant atteindre la force de cent bougies.

La substance tend irrésistiblement à s'organiser; elle assume des formes nombreuses, parfois mal définies et non organisées, mais le plus souvent organiques. Les doigts, y compris les ongles, sont tous parfaitement modelés. Des mains, des visages et autres formes complètes peuvent être constituées.

La substance émane de tout le corps du médium, mais spécialement des orifices naturels et des extrémités, du sommet de la tête, des seins, du bout des doigts. Le point de départ le plus habituel et le plus facile à constater est la bouche, la surface interne des joues, les gencives et le palais.

Les formes matérialisées ont une certaine indépendance; une main, par exemple, est capable de remuer ses doigts et de saisir la main d'un observateur, bien que la peau humaine semble parfois repousser les fantômes. Les structures peuvent être inférieures à la grandeur naturelle — de vraies miniatures. On a constaté que la partie postérieure des manifestations sans forme organique était un simple amas de substance amorphe, et que les formes contenaient juste assez de substance pour prendre une apparence de réalité. Les formes peuvent disparaître soit très graduellement, en s'évanouissant, soit presque instantanément. Du commencement à la fin il est évident que les formes sont en relation physiologique et psychique avec le médium, la sensibilité des structures se confondant avec celle du médium. Une épingle, par exemple, enfoncée dans la substance ferait souffrir le médium.

La substance paraît influencée à la fois par la direction générale et par l'objet des pensées de l'assistance. De plus le médium, généralement dans un état hypnotique, est extrêmement influençable par suggestion.

Des fragments de formes matérialisées ont été recueillis dans un plat de porcelaine et gardés. Dans un certain cas on découvrit des fragments de peau dont l'origine humaine fut constatée après un examen au microscope. Une autre fois, on trouva trois ou quatre centimètres cubes d'un liquide transparent ne contenant aucune bulle. L'analyse révéla un liquide incolore, légèrement trouble, non visqueux, inodore, légèrement alcalin, laissant un précipité blanchâtre. Le microscope permit de constater des débris cellulaires et de la salive; la substance venait évidemment de la bouche. Une autre fois l'on trouva un paquet de cheveux blonds ne ressemblant en rien aux cheveux noirs du médium; la main de l'observateur était couverte de mucus et d'humidité. En outre, on trouve quelquefois d'autres substances, telles que de la poudre pour le teint ou des parcelles enlevées aux vêtements du médium.

CHAPITRE XXV

Conclusion

Nos connaissances actuelles au sujet du corps éthérique et des phénomènes éthériques en général, constituent un ensemble important, mais l'étudiant sérieux ne tardera pas à s'apercevoir que le champ ouvert à nos futures recherches est immensément plus vaste que les recoins explorés jusqu'ici.

Etant donné que la structure, l'alimentation et la santé du corps éthérique intéressent directement la santé physique et le fonctionnement, non seulement du corps physique, mais encore des autres corps en relation avec lui, il est indéniable que des recherches portant sur tous les genres de phénomènes éthériques devraient amener des découvertes présentant pour le savant un profond intérêt et pour l'humanité de grands bienfaits.

Pour conduire ces recherches, nous avons le choix entre plusieurs méthodes : d'abord l'observation clairvoyante directe à différents niveaux, car il est probable, vu le développement rapide, à notre époque, de certaines sections de la race humaine, que sous peu bien des personnes se trouveront en possession de facultés éthériques.

Les expériences du Dr. Kilner semblent indiquer que ces facultés, normalement développées au cours ordinaire de l'évolution, peuvent être stimulées au moyen d'écrans comme ceux dont il fit usage, ou même par d'autres méthodes encore à découvrir. Le mesmérisme et l'hypnotisme pourraient aussi, l'un et l'autre, avec toutes garanties utiles, servir à éveiller la faculté éthérique latente. L'emploi de la photographie peut dans l'avenir prendre beaucoup d'extension et d'importance, car les sels entrant dans la composition des plaques, sont sensibles à des longueurs d'onde et à des intensités lumineuses qui échappent à l'œil normal. Une autre méthode consiste à employer les rayons ultra-violets; elle promet beaucoup; afin de l'appliquer, un laboratoire a été récemment inauguré à Leeds, grâce à l'initiative et à la prevoyance de quelques membres de la Société Théosophique habitant cette ville.

Les méthodes adoptées par W. J. Crawford pourraient fort bien être reprises par d'autres chercheurs et fournir des résultats complétant les résultats extrêmement précieux obtenus par cet habile investigateur.

Est-il désirable d'utiliser les séances spirites pour obtenir des phénomènes de matérialisation tels que ceux obtenus par exemple par le baron von Notzing? Sur ce point les opinions différeront sans doute. Il est assez généralement admis que les phénomènes de ce genre peuvent facilement présenter pour le médium un sérieux danger, tant au point de vue physique qu'à d'autres; les matérialisations ainsi obtenues ont d'ailleurs un caractère nettement répugnant. D'autre part on peut arguer que, si les médiums consentent à se sacrifier dans l'intérêt de la science, celle-ci a bien le droit d'accepter des sacrifices semblables; du reste, la science ne tient pas compte du caractère désagréable ou non offert par les phénomènes naturels. Cependant, il faut reconnaître que de nos jours les plus éminents instructeurs spirituels n'approuvent pas les séances de spiritisme. Ici encore il serait possible d'arguer qu'à d'autres époques les vierges vestales, les devins, les « prophètes » et autres médiums, furent sanctionnés et approuvés par les hautes autorités. Nous tenons donc à ne proposer sur ce point aucune conclusion dogmatique.

La possibilité de faire servir aux guérisons la connaissance des phénomènes éthériques semble à peu près illimitée. Dans bien des maladies physiques, émotionnelles ou mentales, l'emploi du traitement vital ou magnétique, comme aussi le mesmérisme et l'hypnotisme, s'accorderaient avec le mouvement général des idées dans cette direction. L'emploi du mesmérisme pour amener l'anesthés en ' u? a'opérati.ns c'c., afin de remplacer l'éther, le gaz ou le chloroforme, semblerait présenter bien des avantages.

On peut soupçonner aussi que la science de l'ostéopathie menée de front avec l'étude des centres de force et du flux vital dans le corps humain donnerait de précieux résultats.

Les remarquables découvertes du Dr. Abrams qui semblent avoir été acceptées, du moins en partie, par le corps médical, semblent capables de conférer à l'humanité actuelle, accablée de maux, des bienfaits presque incalculables; bien qu'elles ne paraissent pas, croyons-nous, absolument prouvées, il semble à peu près certain que les méthodes dont fait usage le système Abrams agissent, directement ou indirectement, sur et par le corps éthérique.

La reprise récente des pratiques curatives par diverses églises chrétiennes fait naître, semble-t-il, de grandes espérances; or, il n'est guère douteux que ces méthodes, sans être en aucune façon exclusivement physiques, font pourtant usage, jusqu'à un certain point de matière éthérique.

Cependant la possibilité d'utiliser nos connaissances relatives aux phénomènes éthériques dépasse ce que nous avons brièvement indiqué. Il semble en effet plus que probable qu'un facteur important et encore à peu près inconnu, dans le traitement des maladies et la conservation de la santé, dérive des propriétés éthériques des médicaments, des eaux, des gaz, des émanations des sols et des minéraux, des fruits, des fleurs et des arbres, indépendamment de leurs propriétés purement physiques. Peut-être découvrirons-nous un jour des stations hygiéniques, soit à l'intérieur des terres, soit au bord des lacs ou des mers, dont les influences curatives dépendent de leurs propriétés éthériques.

L'attention donnée récemment à un emploi plus large du soleil touche de près, bien entendu, à ce que nous savons concernant l'origine solaire des em; nations pràniques, leur diffusion dans l'atmosphère et leur absorption par les êtres vivants.

Une connaissance plus approfondie des phénomènes éthériques et vitaux peut amener un changement d'attitude radical à l'égard de l'emploi, en médecine ou en alimentation, de substances ayant passé par des organismes animaux ou en dérivant.

On peut raisonnablement supposer que ces substances fugaces nommées vitamines doivent leurs propriétés bienfaisantes à la présence en elles, sous une forme ou sous une autre, du prâna ou encore, peut-être, à la qualité de la matière éthérique contenue en elles.

Si l'on arrive à reconnaître que la vitalité du corps dérive, non des aliments, mais directement de l'atmosphère, le traitement diététique des malades pourra subir un changement total; nous verrons en même temps le jeûne, comme moyen curatif, beaucoup plus souvent employé. Les personnes au courant de la littérature concernant le jeûne savent probablement que plusieurs auteurs ayant étudié cette intéressante question ont déjà conclu de leurs observations que la relation entre l'assimilation des éléments nutritifs et l'acquisition de l'énergie vitale est fort loin d'être simple ou directe.

On admet généralement aujourd'hui que les cures par l'électricité n'ont pas donné tous les résultats que l'on espérait obtenir. Une étude plus complète des phénomènes éthériques permettra sans doute de trouver de meilleures méthodes pour guérir par l'électricité. L'association de l'électricité et de la matière éthérique (dont est formé le double éthérique) est un phénomène qui peut ainsi trouver un précieux emploi.

On exagérait à peine en affirmant qu'à l'avenir le corps éthérique, où réside pour ainsi dire le principe vital dans son aspect physique, tiendra dans nos préoccupations une place aussi ou même plus grande que celle donnée aujourd'hui au corps matériel physique. L'énergie en liaison avec l'éther pourra évidemment êtr appliquée à des fins diverses; inutile d insister. Cependant l'étudiant en occultisme se rappellera un avertissement qui nous a été donné : il ne sera pas permis à l'homme de libérer les énergies presque incalculables latentes dans la matière atomique sans la certitude qu'elles seront employées pour servir la cause du bien et non comme moyens de destruction. C'est malheureusement cette dernière application que reçurent dans le passé tant de découvertes scientifiques.

Il est évident aussi que la découverte des états éthériques de la matière vont offrir tant à la chimie qu'à la physique des horizons nouveaux; elle pourra même rendre des services dans la fabrication de tous les produits alimentaires, dans celle des conducteurs isolateurs électriques, des tissus pour vêtements et de maintes autres substances journellement employées.

Enfin, non seulement pour sa valeur intrinsèque, mais aussi comme moyen de passer à des connaissances plus hautes, l'admission par les savants orthodoxes de l'existence du corps éthérique, puis l'étude de sa constitution et de ses fonctions (ni l'une ni l'autre, oserons-nous dire, ne saurait tarder beaucoup) pourront constituer de solides fondations sur lesquelles s'élèvera comme un immense édifice la connaissance du monde ultra-physique.

Car (nous adaptons et résumons ici les derniers paragraphes de *L'Idylle du Lotus blanc*), l'avenir est plus grandiose, plus majestueusement mystérieux que le passé. Dans une progression lente et imperceptible, les instructeurs de l'humanité puisent la vie à des sources plus pures; l'âme de toute existence leur donne plus directement le message dont ils sont chargés. L'existence a une valeur qui dépasse toute conception; elle s'épanouit en réalité au-dessus de l'homme et son bulbe plonge ses racines dans le fleuve de vie. Au cœur de cette fleur l'homme pourra lire les secrets des forces qui gouvernent le plan physique; il y trouvera inscrite la science de l'énergie mystique; il apprendra à exposer les vérités spirituelles et à pénétrer dans la vie du Moi suprême, comme aussi à en conserver en soi la gloire, tout en continuant à vivre sur cette planète, s'il le faut, tant qu'elle existera; enfin à poursuivre son existence dans toute la vigueur de sa virilité, jusqu'à ce que sa tâche soit entièrement accomplie et qu'il ait appris à tous ceux qui cherchent la lumière ces trois vérités : ⸜

L'âme de l'homme est immortelle; son avenir est celui d'une vie dont le développement et l'avenir sont illimités.

Le principe de la vie, en nous et au dehors de nous, est immortel et éternellement bienfaisant, il n'est ni entendu, ni vu, ni senti, mais peut être perçu par l'homme qui en a le désir.

Chaque homme est son propre législateur, dispensateur pour soi-même de gloire ou de ténèbres, maître de sa vie, de sa récompense ou de son châtiment.

Ces vérités, grandes comme la vie elle-même, sont simples comme l'intelligence humaine la plus simple. Que le savoir soit donné à tous ceux qui en ont faim.

LA SOCIETE THEOSOPHIQUE

La Société Théosophique est une organisation internationale ayant pour but de

1° Former un noyau de la Fraternité Universelle de l'Humanité sans distinction de race, credo, sexe ou couleur :

2° Encourager l'étude comparée des religions, des philosophies et des sciences ;

3° Etudier les lois inexpliquées de la Nature et les pouvoirs latents dans l'Homme.

Son siège mondial est à Adyar, Madras 600020, Inde. Elle comporte des Sections nationales dans une soixantaine de pays.

Pour adhésions et tous renseignements, s'adresser au

Secrétaire Général

de la

SOCIETE THEOSOPHIQUE DE FRANCE

4, Square Rapp

75007 PARIS

LE CATALOGUE
DES EDITIONS ADYAR
EST ADRESSE FRANCO
SUR SIMPLE DEMANDE

———•———

EDITIONS ADYAR
4, Square Rapp
75007 PARIS

imprimé par les Editions Adyar
février 1990